日本版シリコンバレー創出に向けて

中川有紀子 編
Yukiko Nakagawa

梅澤高明　豊崎禎久
野辺継男　大高英昭
杉田定大　金 堅敏
石澤義治

● 深圳から学ぶエコシステム型イノベーション

Towards the Creation of
a Japanese Silicon Valley

ナカニシヤ出版

はじめに

　「Beyond Limits. Unlock Our Potential――世界に伍するスタートアップ・エコシステム拠点形成戦略」をふまえ、政府、政府関係機関、民間サポーターによる集中支援を実施することで、世界と伍するスタートアップ・エコシステム拠点形成を目指すスタート地点に、日本は満を持して立つ。2020年7月、シリコンバレーに比肩するスタートアップ・エコシステムを整えるため、日本政府が選定を進めてきた「スタートアップ・エコシステム拠点都市」として東京、愛知、大阪、福岡など4都市圏が、「グローバル拠点都市」として選ばれた。これらの都市では、自治体、大学、民間組織でエコシステム形成の拠点となるコンソーシアムが形成される。「世界に伍する」という目標をもった以上、世界での先進事例をよく学ぶ必要がある。アメリカのシリコンバレーはもちろんのこと、アジアのシリコンバレーといわれる深圳でも、市場、民間、大学による集中支援が実施され、スタートアップ・エコシステム型イノベーションが自由な雰囲気で形成されてきた魅力をもつアジア初の社会実装先進都市であることに間違いはない。にもかかわらず、エコシステム型イノベーションが形成されてきた歴栄的経緯、人々のマインドセット、成長資金の調達について、その全容は、あまり知られていない。ぜひ、今回の日本政府の戦略に沿って、深圳について学んでいただきたい。それは教養の一つともいえるのではないか。

　いまをさかのぼること40年、1980年の第5期全国人民代表委員会常務委員会において、「広東省経済特区条例」が批准され、深圳、珠海、汕頭での経済特区の設立が決定した。これが深圳市の発展の始まりだ。イギリスの植民地かつ自由港であり、中国への窓口として経済的に発展していた香港と、深圳は地理的に隣接し、大海に面し良好な港を有する。その地理的重要性から、鄧小平は、中国全土の地図を広げて、北京からはるかに離れたこの最南端の深圳市に赤丸をつけた。

1984 年、鄧小平は、小さな漁村から改革開放の最初の試験場として急激な発展を遂げつつあった深圳を訪れ、「深圳の発展と経験は、われわれの経済特区政策が正しかったことを証明している」と述べたという。

　地元出身者が少なく、土地のしがらみや固有の文化を持たない深圳は、「人脈重視」の中国社会のなかで、「誰にでも平等にチャンスがある街」として、発展していく。中国中から夢をもった若者が深圳に集まってきた。田舎から出てきた若者が、大企業の経営者になり大成功を収める——そんな深圳ドリームが実現できたのはなぜだろうか。たった 2、30 年の歴史しかもたず、年間平均気温 23 度という温暖な気候にも恵まれていることも発展の一要素である。電子機器などモノづくりの拠点として成長してきた深圳は、近年、製造拠点から技術開発拠点へと変容している。2012 年に深圳市が打ち出したスローガン「来了就是深圳人（来たら、あなたはもう深圳人）」は、中国全土で話題になった。

　低付加価値の組み立て製造から、高度な技術を内製化して、高付加価値のハイエンド製造を実現するための、産業構造転換を深圳人自らが唱えるようになった。中国政府も矢継ぎ早に関連政策を講じている。高度人財に広く門戸を開く戸籍政策や、ハイテク関連ビジネスの起業に優遇措置を実施する深圳には、中国全土から優秀な人財が集まるようになった。また、海外へ留学していた優秀人財への帰国起業資金支援制度も、世界に流出していた頭脳の中国帰還（海亀と呼ばれる）を促した。深圳市の平均年齢は、2019 年時点で 28 歳。深圳は、「深圳ドリーム」を夢見る若者の集まる都市へと変容している。

　すでに発達していた製造業の基盤を活かし、アイデアもった企業が別の企業から部品を調達し、そのアイデアを数日で実験的に形にできる体制が、深圳にはあった。まさに「デザイン思考」が、この深圳では社会実装として日々いたるところで行われている。「川上から川下まで、すべてのものが揃う」産業集積を活かし、深圳は発展段階を駆け上がり、世界有数のエコシステム型イノベーション都市になった。

　その後も深圳市は、「明治維新と高度成長が同時にやってきた」というキ

ャッチフレーズのとおり順調に発展を続け、とどまるところを知らない。2018 年時点で人口 1303 万人（直近 7 年間で 24.5％増）、輸出額 25 兆円（同 2.1％増）、輸入額 22 兆円（同 20.3％増）、対内直接投資（外国企業・資本の呼び込み）は 1 兆円に近い（同 1.78 倍）。

　日本企業としても、未来に向けて成長するために、隣国のこの地域の活力をうまく学びながら採りいれるという選択肢は大いにある。深圳市は、鄧小平の推し進めた改革開放以降、自動車産業と電気電子産業が集積し、世界の工場といわれるほど、完備されたサプライチェーンを備えもつ。それをインフラとして、中国国内、そして海外から優秀な人材が集まり、2015 年からのベンチャーブームに乗って、数多くの優秀なスタートアップが生まれた。そのエコシステムの中核的な存在が深圳清華大学である。深圳清華大学は、圧倒的に豊富な資金力をもつ大学発ベンチャーキャピタルとして、検証を積んできているこのベンチャーブームを支えるのは、そのほとんどがまだできて数年の新興企業であり、IT 系のビジネスモデルイノベーションではなく、モノづくりに近い企業である。それゆえ、日本企業にとっても、起業家教育や実際の失敗事例、成功事例など、学び、取り込める部分が多い。

　深圳市のスタートアップは、その多くがアメリカのシリコンバレー仕込みである。思考回路はシリコンバレーのそれにきわめて近い。ビジネスライクであるうえに、スピードが圧倒的に速い。もちろん同じアジア文化圏であり、言葉は違えど、信頼ができれば一定の融通が利く部分はある。しかし、ビジネスとして理性的に見極める情報戦は当然重要である。まずは、「彼を知る」ことから始まる。

　孫子の兵法「彼を知り、己を知れば、百戦殆うからず」である。

　つねに客観的で複眼的な視点をもち、積極的かつたしかな情報収集を行うことにより、情報の非対称性を解消し、合理的なオプションをスピード感をもって判断していく必要がある。

　世界を見渡すと、世界第一の経済規模をもつアメリカの強みは、積極的な外部資源の取り込みである。一方、日本は少子高齢化により、国内市場は縮小し、国内人的資源も量的に減ってきている。この事実からは逃れられない。

とくに、日本が未来に向けて成長するためには、世界から外部資源を積極的に取り込まないという選択肢はない。まずは、"知って、考える"ことから始めたい。

　日本のビジネスパーソンにおかれては、特定の政治観やイデオロギーにとらわれたり感情論にふり回されたりせず、また、ニュースで報じられる事象をそのまま見るのではなくて、背景や水面下の文脈等について、自分の頭でその全体像や仮説を更新し続けてもらいたい。そして客観的かつ合理的判断を研ぎすませることを切に期待したい。ぜひこのチャンスをモノにしていただきたい。

　本書では、日本の立場から「日中エコシステム型イノベーション・プラットフォーム協力推進がなぜ必要か」という点を、8名の有識者の多様な視点から論じていく。そして「日中エコシステム型イノベーション・プラットフォーム協力」が、日本の「Beyond Limits. Unlock Our Potential——世界に伍するスタートアップ・エコシステム拠点形成戦略」にとって、成長に欠かせない取り組みであることを論じていきたい。

　新興国として発展目覚ましい隣国。特定のイデオロギーにとらわれることなく、深圳の人々、歴史、新興企業、スタートアップ、政策の目指す方向を学ぶことは、エコシステム型イノベーションで生き残りを目指す日本人ビジネスパーソンにとって、今日、不可欠な教養となってきている。

編　　者

目　　次

はじめに　*i*

第1章　歴史にみる中国人と日本人 ──────── 大高英昭　*1*

第2章　新たなイノベーション拠点となった珠江デルタ
　　　　日本がどう付き合うべきか ──────── 石澤義治　*11*

第3章　急速に台頭してきた中国の革新力と持続性 ── 金　堅敏　*29*

第4章　中国のスタートアップ政策と日本への政策提言
　　　　──────────────────── 梅澤高明　*55*

第5章　日中イノベーション交流プラットフォーム構築
　　　　──────────────────── 杉田定大　*75*

第6章　2035年中国半導体が世界の覇権を握る未来
　　　　賢者は歴史に学ぶ──日本企業は、中国半導体企業との共築
　　　　精神で再び世界一を目指す ──────── 豊崎禎久　*89*

第7章　中国は新エネルギー車（NEV：New Energy Vehicle）で
　　　　世界の自動車強国を目指す ──────── 野辺継男　*103*

第8章　治にいて乱を忘れず　任正非のファーウェイ
　　　　任正非　ファーウェイ創業者CEOの経営哲学と176カ国グロ
　　　　ーバル展開における人と組織のマネジメント
　　　　──────────────────── 中川有紀子　*139*

おわりに　*171*

v

第 1 章

歴史にみる中国人と日本人

大高英昭

1．2000 年にわたって深くつながってきた日本と中国の歴史

　はじめて中国、西安を訪れたのは、1980 年代。文化大革命で国の発展が滞っていた中国では、当時、鄧小平主導で改革開放が進められたばかりであった。かつて長安と呼ばれたこの街。秦の始皇帝が築いた墓と兵馬俑に圧倒された。秦は中央集権による国の統一を実現したものの、人民を苦しめ、巨大な建造物を残して崩壊。それらの建造物には万里の長城も含まれる。中国という国家はやることなすことスケールが大きい印象を受けた。

　現代中国の中央省庁のある北京から、はるか南方に位置する深圳。そこにあるファーウェイやテンセントのような企業の巨大ビル群を眺めていると、ハコの大きさは中国古来の権威を示すものと思わざるをえない。たとえば、ファーウェイの研修所兼迎賓館。入ると広々としたエントランスは天井までの高さが 7 メートル以上、3 階までの吹きぬけとなっており、左手の階段の

ファーウェイ深圳研修所兼迎賓館。大理石でできた館内（左）　玄関（右）

赤いじゅうたんが来客を導く。

来客をもてなす中国（広東）料理は、自前の厨房でつくる一流の味。中国人が人をもてなすときは決まって大きな円卓。主人だけでなく、上下を問わず関係者が加わり、話題は歴史・文化にわたる。指導者は政財界を問わず教養の深さが試される。欧米から中国を訪れた人々は、その圧倒的な建物とおもてなしによって、中国への投資を決めたのではなかろうか。

ふと頭をよぎったのは、大分県宇佐市の県立歴史博物館前にあるひときわ大きな古墳である。ヤマト王朝が九州を治めんとし、これに従った豪族の古墳に、下賜された銅鏡が6点埋葬されていた。銅鏡はすべて中国からのいわば宝物。当時の日本ではつくられていない貴重なものだった。

時代は再びさかのぼる。司馬遷の「史記」にみられる秦の国。いまから2200年前。日本は縄文時代から弥生時代にさしかかるころであった。始皇帝は不老長寿の薬を求めて、皇帝の部下、徐福に対して蓬莱の地に行き薬草を採ってくるよう命じた。徐福は、済州島を経由して佐賀県に上陸。5回目の挑戦での上陸であり、3000人の大軍団による渡航であったという。徐福東渡の物語は、九州を中心に鹿児島県、和歌山県、静岡県など、200カ所以上にわたっていること、もたらされた品々が出土していることから単なる伝説のたぐいではないと思われる。中国は東の国日本に憧れ、日本は中国の先進文化を追い求めたのではないだろうか。

狩猟から稲作へ、土や木の時代から青銅器・鉄器の時代へ、そして漢字が伝わり日本語としての仮名が抽出される。753年、奈良時代。仏教を広めるため鑑真和上は、徐福同様苦労のすえ、6度目の航海で日本にたどり着いた。紀元前から13世紀末の蒙古襲来まで、中国から日本へ渡るのは大事業であった。その多くが朝鮮半島、済州島あるいは対馬経由であることがうなずける。

このようにみてくると、日本と中国、朝鮮は2000年にわたって深くつながっており、その長い期間、日本は彼の国から学んできたことがわかる。それは単にモノでつながっているだけでなく、政治制度、宗教、道徳、学問、芸術など広がりのあるものであり、それらを日本が消化、醸成してきたこと

で"日本らしさ"が育まれたのだろう。

　奈良時代の宗教は、南都六宗といわれた中国由来の宗教。奈良の薬師寺、興福寺は法相宗の大本山であり、東大寺が華厳宗の大本山である。いずれも天皇の勅願を受け、いわば天皇と貴族の宗教であった。

　平安時代初頭、空海と最澄は遣唐使の一員、学僧として唐に渡り、密教の厳しい修行によって奥儀を極めんとした。空海はおびただしい経典を持ち帰り、最澄と対立することもあったが、それぞれ真言宗、天台宗の開祖となる。開祖のふたりは朝廷の庇護の下、民衆仏教を広めた。"中国（唐）帰り"であること"本場（唐）で修業を修めた"ことがウリであったろう。空海は、部下（修行僧）を地方に派遣し、空海の名代として布教活動だけではなく、治山、治水など幅広く活動。弘法大師の足跡として地方に伝わるハナシ（たとえば、温泉の湧出）が多いのも"現地現物"、"現場重視"のヒントを中国で学んだのかもしれない。現代であれば、地方創生のコンサルティングを始めたグループといったところだろう。

　平安時代。都市設計も中国が手本。京都（平安京）の輪郭は長安（いまの西安）から学んだ。基盤状の区画が往時を偲ばせる。1080 年間続いた首都としての役割が、京都が千年の都といわれるゆえんである。一方、現代日本の都市の多くはもともと城下町であったがゆえ、敵の侵攻をくい止めるために、入り組んだ道路となっている。城下町でなく畑が住宅地になったところは、道が狭くこれまた地形にあわせ変形している。東京、千駄木あたりは、江戸時代水路を埋め立てて道路としたため、くねくねとなって蛇道といわれているところもある。それはそれで風情があるかもしれないが、木造の住宅密集地となっていて火事や災害時には危険極まりない。

　石の文化を残す中国や欧米は、日本と異なり耐火にすぐれた都市を残した。ときに地震や火事に見舞われた日本は、住宅コストというか都市コストが高い。他方で木を主体とした日本の家々がかもし出すまちは、人々に落着きを与えてきたことも事実であろう。京都や奈良のみならず地方の景観保全地域は、世界の人々をひきつけてやまない。

　室町時代、備中国（いまの岡山県総社市）で生まれた雪舟は、守護大名大

内氏の庇護を受け、禅僧としてまた画家として仏画や人物画を描いた。45才のとき遣明船で明に渡る。彼は2年間修業をしつつ、水墨画を研究。中国の大自然に深く感動した雪舟は、風景画を多く描くようになり、その画風は、江戸時代まで影響を及ぼした。

江戸時代は、鎖国により中国との交流は限定された。しかしながら、中国の西湖の堤をとり入れた小石川後楽園や、彦根城4代藩主井伊直興によって造営された大名庭園玄宮園などに、中国への憧れが感じられる。また全国各地の藩校、たとえば足利学校（1432年上杉憲実によって再興）では、中国の文献を多く擁し、「アジア随一の大学」とフランシスコ・ザビエルに称えられた。

潮目が変わったのは、日清戦争で日本が勝利したころかもしれない。さらに日露戦争で日本が勝ち、朝鮮、満州から中国本土に進出（侵略）すると、傲慢になった日本は、軍部を中心に中国べっ視政策をとって、マスコミ、民衆がそれに従った。

鬼畜米英にコテンパンにやられ、欧米協調路線に転換。朝鮮戦争での国連軍（実態は米軍）への資材（自動車、軍備品）提供で日本の産業は息を吹きかえした。その後も続くアメリカ賛歌が日本の外交、政治運営や経済発展をもたらした点では、成功したといってもよいかもしれない。

しかし中国、朝鮮（とくに韓国）へのべっ視は、われわれ一般国民から抜けることなく続いている。こうして中国3000年の歴史と日本のかかわりを振り返るとき（その制度、文化の通過点としての韓国を含めて）いま一度日中関係を客観的にみてゆくべきときがきたといってもよいのではないか。

西をみると、インドのトイレ普及率は、依然として5割。農村の劣悪な状況は中国も同様だが、中国の5億6000万人といわれる農村の人々の生活は、急速に改善している。都市の富裕層との所得格差も縮まりつつある。とはいえ、GNI（国民総所得）の分母が大きくなるにつれ、その成長率は6％まで落ちてきている。習近平は、安定した成長を維持しつつ貧困層を中間所得層に引き上げることによって内需拡大を目指す。ここ15年ほどで迎える高齢化社会に対応すべく、介護保険の導入が急がれる。国民健康保険はいままで

都市、農村別にあったものを一本化。どれもカネのかかるハナシである。

２．深圳にみるチャイナイノベーションの衝撃（その１）

　2019年11月、日中イノベーションプラットフォーム訪問団が4日間にわたり、深圳のハイテク企業、開発特区、大学などを精査。立教大学大学院中川有紀子教授が、日中経済協会杉田専務理事とともにアポ取り、根回し、旅の段取りを行い、あわせて教授の教え子が通訳、ガイドとして奔走。これらにより調査団が"活きた"訪問となって実現した。

　以下、私の感想である。

　「来了就是深圳人」——このまちへ来たらすなわち深圳人。歌のタイトルにもなったスローガンがまちのあちこちに掲げられている。周辺地域を入れれば人口2000万人。中国各地から若者が移住してくる。住民の平均年齢も年々若返り、今年は32歳を下回るだろうと、深圳市商務局の局長は胸を張る。この男35歳、北京の中央政府から送りこまれた共産党員である。党のエリートは、こうして地方を回り、実績を上げて出世街道をかけ上る。もちろんゴールは、北京の党中央委員である。

　鄧小平は、改革開放の旗印の下、深圳を特区として大幅な裁量権を市に与えた。広東省にあるこのまちは、省の干渉を受けることなく、投資を呼びこむための施策を果敢に実行した。鄧が香港に隣接するこの地を進んだのは、いまから40年前の1978年のことである。先見の明のある彼は、硬直的な共産主義体制と決別。毛沢東の進めた権力集中をさらなるものとする文化大革命を捨て、この地で自由主義、資本主義を導入したのだった。いわゆる南巡講話[1]で、彼はその考えを説いた。このころの深圳は人口3万。開放政策に導かれるようにある関西資本が日本から進出。私は1988年、深圳の企業を訪問したことがある。まちではアパート建設がさかんに進められていが、足場は竹でできており、コンクリートむき出しの灰色のビルが立ち並ぶ光景が印象に残っている。

　私はトヨタ自動車の海外マーケティング部長として、将来のトヨタ車生産

をふまえたカタログ印刷の品質、価格の妥当性を探るため、深圳の地に降り立ったのだった。当時の深圳の印刷工場では、いわゆるトヨタ生産システムの出発点として、4S（整理、整頓、清潔、清掃）の徹底が計られていた。現場の人間は、弁当持参でハシ箱をもって通っていた。しかし、印刷された新車カタログは、色もレイアウトも日本の指導なくしては世に問うことができぬシロモノだった。

　80年代のトヨタの話をしよう。トヨタはグローバル企業たらんと、世界戦略を本格化した。最重要市場アメリカでは、現地生産をしなければ、締め出されんとしていた。ホンダはいち早くオハイオ州で、続いて日産がテネシー州で組み立て工場を開始。慎重なトヨタは、品質の確保、マーケット、労働市場、採算性などを検討し、GM（ゼネラルモータース）との合弁をサンフランシスコで行うことになった。

　当時の社長・豊田英二は、協調と競争の両立を図った。技術陣も踏ん張った。レクサスの導入は、未知なる高級車マーケットへの参入を意味し、並行して、ハイブリッド車プリウスの開発にも全力を挙げた。さらにホンダが欧米中心であったのを横目に、トヨタは「全方位外交」を展開。欧米のみならず、アフリカ、アジア、中東への販売を強化。ランドクルーザーなど頑丈な商用車は、未舗装の道路の国では、人気を得た。

　さて、80年代の中国とトヨタとのかかわりに話を移そう。戦前には豊田家

（1）　改革開放路線に舵を切った中国だが、改革開放政策は必ずしも順風満帆に進んだわけではなかった。とくに、1980年代後半から1990年代前半にかけて、国内経済は、経済改革加速を背景にしたインフレ進行、それに対する引き締め政策強化による景気減速、というように、景気・物価が不安定な状況にあった。また、政治的な混乱もあいまって、改革抵抗勢力が強まり、「中国は資本主義なのか、社会主義なのか」といった議論に拍車が掛かり、改革開放政策に手詰まり感が漂っていた。こうした手詰まり感の突破口となったのが、1992年の鄧小平氏による南巡講和である。南巡講和は、同年1月から2月にかけて鄧小平氏が武漢、深圳、珠海、上海などの南方を視察した際の発言を指す。「発展こそが揺るぎない道理である」などの名言が残されたとおり、その主旨は、「改革開放政策の堅持を通じた経済成長」である。深圳視察の際には、「経済が発展せず、人々の生活が改善されなければ、死に至るのみである」などと述べ、改革開放を大胆に進めるよう訴えた。南巡講和は、社会主義体制のなかで市場経済化を進める「社会主義市場経済」という概念を打ち出し、「中国は資本主義なのか、社会主義なのか」という論争に一定の歯止めを掛けたという点においても、大きな意義があったとされている。

が上海に一軒家を構えたことからもわかるように、紡績業をルーツとする豊田家と中国とのかかわりは古い。しかし、上述したような、技術、生産技術、製造能力、さらにはマーケティングのリソースからみて、トヨタの中国への進出は、ホンダ、日産に比較して、遅まきながらの印象はぬぐえなかった。それでいながら、中国でのレクサス、クラウンへの憧れは根強いものがあり、エンジンや屋根を外して、「部品」として、輸入し、大儲けする密輸業者もあった。いまは昔の話である。

　今日のトヨタに話を移そう。広大な中国でも、補修部品を各地に置き、サービス教育を徹底し、ユーザーの声に耳を傾けるというトヨタの王道は変わらない。中国市場において後塵を拝したトヨタは、ホンダ、日産に並び、日本の 10 倍以上あるマーケットを見据えて、労は多いが、将来に期待して、地道な経営を続けている。一党独裁社会主義の国、中国。合弁ですら、この国では、政府の自動車政策により何が起きるかわからない。現に、先行する電気自動車（EV）で火災が起きたこともあり、外交関係の悪化を反映するかのように、アメリカや韓国の自動車メーカーが苦戦を強いられている。

　オーソドックスな事業展開に加えて、いわゆるロビー活動（政府への渉外活動）も欠かせないのが、今日的中国自動車産業でもある。

　改革開放から 40 年。深圳は模倣の時代に終わりを告げた。第 2 次産業の自動車関連産業から蛙飛びで、第 5 次イノベーション産業というべき最先端のハイテク、スマホ、ドローンなどの産業集結地となり、世界へ羽ばたくようになった。旧市街地から続くエリアには高層ビルが立ち並び、片側 5 車線の道路にはさらに側道があり、街路樹が街を彩り、ブーゲンビリア、ハイビスカス、杏竹桃、ハナミズキが見事なまでに添えられている。温暖な気候で、街の緑が美しい。

　経済特区前海区の説明では、こうした IT 産業に加え、新たに金融自由化実験特区として、世界中から金融を呼びこもうとしている。とすれば、スケールの大きな考えをもつ彼らは、香港経由が過半を占める現在の中国への投資を、大陸へのゲートウェイである深圳へ直接もってこようと考えているのではないか。実験特区ゆえに、法人税は香港、シンガポール並みに 15％とす

るという。外国人が働きやすいよう、家族で暮らせるよう、病院からショッピングセンターまで揃えたまちづくりの計画がある。ショールームにはまちのモデル（模型）ができあがっていて、体育館ほどの大きさの建物でデモンストレーションをしてくれた。まちができあがった暁には、香港は単なる通過地か、あるいはゴーストタウンになってしまう惧れすらあるだろう。香港が民主化運動をやるなら〝どうぞ〟というわけである。

　このような都市の発展は、ほかにも北京、上海、成都、重慶でみられる。彼らの競うような誘致活動が、〝正の連鎖〟として中国の「チャイナイノベーション」となって結実したのではないかと思った。

　もちろん、急速な発展はひずみを生むこともあろう。またチャイナバブルが弾ける危惧もなしとはしない。しかし14億人民がこぞって上昇志向、つまり豊かになろうとする意欲がある限り、長期的にみれば中国は成長を続けると思われる。

3．深圳にみるチャイナイノベーションの衝撃（その2）

　日本から深圳へは、香港国際空港からのアクセスが便利である。香港市内を経由せず高速道路で行けるので、1時間で深圳へ到着する。香港市内からは、高速列車で結ばれている。さらに、空港内に直接乗り入れている高速船なら、わずか30分で深圳のフェリー乗り場との間をつなぐ。フェリーの乗務員は、若く美しい女性だ。この国では、まだ、アテンダント業が人気であることがわかる。深圳から日本へ帰国するアクセスをみてみよう。深圳のフェリー乗り場には、航空会社ごとにチェックインカウンターがあり、荷物を預ければ目的地（われわれであれば、日本の空港）まで手ぶらで行けるというわけだ。なお出入国のパスポートコントロールは、深圳の乗り場手前と到着した香港の空港で行うが、行列となることなく、いともスムースである。

　こうしてみると、香港、深圳、マカオを彼らはベイエリアと称し、一体運営をしてヒト（旅行者）とモノ（貨物）の移動をスムースにして国際競争力を高めてゆこうとする姿勢を感ずる。いま、アジアは、ハブ空港、ハブ港湾

競争の只中にある。各国の経済成長の果実を取り込もうとして、各国とも、設備投資をさかんに行っている。空港、港湾とも 24 時間営業は当たり前である。空港でいえば、先陣を切ったのは、シンガポールチャンギ空港である。空港内にはショッピングモールをはじめ、映画館、入浴施設、マッサージから床屋まであり、これにバンコク、ソウルが続いた。お粗末なのが成田と羽田。周辺住民の反対もあって、チマチマした改良しかできていない。港湾施設についても同様だ。港湾業務は長らく〝組関係者〟が牛耳っていた。グローバル化が進むと、これら日本の空港や港湾はガラパゴス化して、割高で効率性を失っていった。

　さて、深圳へ到着するとホテルにチェックインと相なる。これらの宿舎は、センチュリー・プラザ・ホテル。40 年前に建てられたシロモノだが比較的メンテナンスがいい。ただし滞在中、国際ハイテクショーが行われていて、満室が続き料金がハネ上がっていた。アメリカのホテルと同様、需給を反映した宿泊料金でふだんの倍の料金をふっかける。アメリカ、インディアナ州、インディアナポリスでアメリカの自動車レースの最高峰インディ 500 に出かけたときのことが思い出される。ホテルは 1 週間単位の契約で、インディ500 期間中、前金でしか泊まれなかった。深圳でも客の足許をみて料金を自在に設定する。今風にいえば、〝ダイナミック・プライシング〟か。トランプと習ののしりあいにして然り、中国とアメリカは似たところがある。

　深圳駅から徒歩 10 分のこのあたり、駅前独特のわい雑感があって面白い。ビルの 1 階は、京都の町屋のような狭い間口に区分されていて、マッサージ店が並ぶ。1 軒 2 軒ではない。ズラリと 10 軒ほど。歩けば怪しげな客引き。ホテルからまちへ出て 10 分も歩くと新しいビルの並ぶ大通り。何でも習近平オジサンがすすめたとかで、陽が落ちると、広場という広場で、健康ダンスが始まる。早朝の太極拳は老人が、ダンスのほうは若者・中高年が中心で、誰でも参加できる。別に決まった踊り方があるわけではなく、音楽にあわせリーダーが踊る。そのリーダーのうしろに、隊列を組むように並んで足並みを揃える。深圳のような都会人は、マンション住まいで運動不足。無料のダンスは一石二鳥。夜 9 時半すぎには、広場は静かになっていたから、暗黙の

深圳市羅湖区東門商業区は毎晩市民による健康ダンスで賑わう

ルールがあるのだろう。ここにも一党独裁。"右へならえ"に慣れた市民たちの"健全な"姿があった。

第2章 新たなイノベーション拠点となった珠江デルタ
日本がどう付き合うべきか

石澤義治

　2001年、中国経済に関わってきたコミュニティのなかで、一冊の本が話題を呼んだ。経済産業省出身の大先輩である、黒田篤郎・現日本貿易保険代表取締役社長が書いた『メイド・イン・チャイナ』（東洋経済新報社）という本である。筆者がいま勤める在広州日本国総領事館の管轄地域の一つである広東省の産業集積地・珠江デルタ周辺の産業実態を、フィールドワークを通じて見事に描いた。完備されたサプライチェーンと安い労働力を強みに、広東省は世界の工場として、そして中国最大の輸出基地として、中国経済の目覚ましい成長を支えてきた。2008年9月にリーマンショックが起き、一時的に中国経済にもダメージが及んだが、巨額の財政出動により、世界のどこの国よりも早く危機から抜け出し、高度経済成長を維持した。2010年には、中国の経済規模はついに日本を抜いて、世界第2位の経済大国に躍り出た。しかし、この頃から、中国経済の牽引役である広東省、そして珠江デルタ地域では、低付加価値の組み立て製造から、高度な技術を内製化し、高付加価値のハイエンド製造を実現するための、産業構造転換が唱えられるようになり、政府も矢継ぎ早に関連政策を講じるようになった。それが功を奏し、いまや、深圳市と広州市を筆頭に、珠江デルタ地域は、新たなイノベーション拠点として世界からも注目されるようになってきた。この地域の活力を活用しない手はない。しかし、どのように活用するか、実際は言葉でいうほど簡単ではない。かつてのシリコンバレーブームに日本も乗っかろうと思っていたが、蓋を開けてみれば、ほとんどうまくいかなかったというのが一般的な見方ではないだろうか。本章では、シリコンバレーの失敗の要因分析には立ち入らず、単純に、中国で生まれたこの新たなイノベーションの活力をどのように

活用していけるか、現場の声もふまえながら考えていきたい。

1. 中国パールデルタの変貌——イノベーション駆動型経済へ

　中国経済は、巨額の財政出動により、2008年に起きたリーマンショック危機を乗り越えた。2010年には日本のGDPを抜き、いったん一桁台に落ち込んだ経済成長率も2011年第2四半期に＋10.8%の成長を記録し、二桁経済成長に戻した。しかし、実はこれを最後に、二桁成長時代が終わり、一桁経済成長に突入した（図表2-1）。

　長期的な視点に立って持続的な成長を実現するために、中国は中国共産党第18回全国代表大会（2012年8月に北京にて開催）において、「創新駆動発展戦略」を打ち出した。中国は改革開放以降、豊富な土地資源や安い労働力を強みに、加工度の低い原材料を輸入し、組み立て加工を中心に、いわゆる「加工貿易」で経済成長を支えてきた。しかし、労働や資本の投入を増やし続けることはできない。付加価値の低い産業構造のままで停滞し、発展パターンや戦略を転換できず、成長率が低下、あるいは長期にわたって低迷する「中所得の罠」に陥ることが懸念された。「中所得の罠」を脱出するためには、

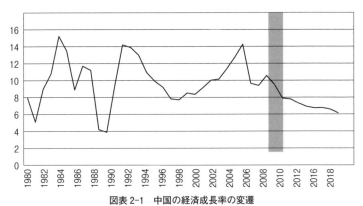

図表2-1　中国の経済成長率の変遷

（注）　2019年のGDPはIMFによる2019年10月時点の推計値。
出所：IMF - World Economic Outlook Databases（2019年10月版）

国内で持続的なイノベーションが起きることが必須である。これがTFP[1]を引き上げていく。輸出に過度に依存するのではなく、国内需要が持続的に拡大していくことで、生産を牽引していく必要がある。所得増が需要を喚起し、その需要拡大が生産を刺激する。こうしたサイクルが持続的な成長には必要である。

　中国改革開放のフロンティアとして、珠江デルタが位置する広東省は、2012年以降、全国に率先して、中央政府が推し進める「創新駆動発展戦略」を実行してきた。産業構造のアップグレードを実現させ、イノベーション駆動型の経済体系の実現を最優先課題と位置づけた。

　具体的には、2012年に、広東省は、全国初の地方条例である「広東省自主促進条例」を公表した。同時に、「イノベーション環境を改善するための5カ年行動計画」を打ち出し、イノベーションによる経済発展を強力に進めた。その後も、イノベーション予算の創設、インキュベーション施設の建設、科学成果転換の支援、人材誘致策など一連の支援策を含む措置を講じてきた。2017年には、広東省「広州・深圳科学技術イノベーション回廊計画」（図表2-2）を打ち出し、広州と深圳を中心に、十大イノベーション拠点を設け、次世代情報通信技術、バイオ医薬、スマート製造、新エネルギー車（EV、コネクテッド）の四つの産業に対して、数千億元級の産業クラスターを形成していくと宣言した。さらに、2019年2月に、中国国務院より「広東・香港・マカオ大湾区構想」が発表され、珠江デルタを中心とする九つの広東省の都市と香港、マカオの経済一体化を目指す地域経済圏構想が打ち出された。目指すのは、東京湾区、ニューヨーク湾区、サンフランシスコ湾区という世界三大湾区に並ぶ、世界で四つ目の湾区経済圏である。ここでは、国際イノベーションセンターの建設が唱られており、今後、一層の政策資源の投入が予想される。広東省のGDPは、2018年時点で9.7兆元を超え、これは韓国のGDPに次ぐレベルの経済規模であり、30年連続で中国全土1位である。こ

（1）　TFPとは、Total Factor Productivity の略称であり、全要素生産性ともいう。経済成長を生み出す要因として、資本と労働はあるが、これらのような量的な生産要素の増加以外の質的ファクター（例えば、技術進歩や生産の効率化など）のことを指す。

図表 2-2　広州・深圳科学技術イノベーション回廊計画
出所：新科技 http://www.xinkeji.cc/chuangtou/chuangye/157619.html

のなかで、広東省における研究開発費の GDP に占める割合は 2012 年の
2.1％から 2018 年 2.65％に上昇し、産業構造のグレードアップに向けて、確
実に前進している。

2．千年商都──広州とハードウェアシリコンバレー・深圳

　広東省珠江デルタの中心は、広州市と深圳市の二大都市がある。広州市は
3 世紀から海上シルクロードの主要な港湾として栄えた。唐や宋の時代にな
ると、中国最大の港となり、明・清の時代には、中国唯一の対外貿易の港と
なった。広州市は、1000 年以上も続いてきた「千年商都」の街として、いま
もその地位を維持し続けている。深圳市は、もともと人口 3 万人にも満たな
い漁村だったが、1980 年に中央直轄の経済特区に指定されたのち、目覚まし
い経済成長を遂げ、わずか 40 年でグローバルレベルの大都市に成長した。
広州市と深圳市はいずれも GDP 2 兆元、人口 1000 万人を超える大都市であ
り、全国平均を超える経済成長率を維持し続けている。経済成長の源泉の一

図表 2-3　「985 プロジェクト」に分類される中国の大学を卒業した学生の就職先

HUAWEI	3,860	百度	425	中国建設銀行	225
国家電網	2,095	一汽集団	414	東風汽車	223
中国建築	2,020	新東方教育	355	中国銀行	218
上海汽車	1,248	網易	342	普聯技術	210
中国電子科技集団	946	アリババ	327	招商局集団	204
中国航空工業集団	785	中国科学院	311	華星光電	204
ZTE	744	中国農業銀行	307	中船重工	199
恒大	737	中国航空発動機集団	305	吉利	192
招商銀行	729	碧桂園	299	四川大学華西病院	190
テンセント	700	海康威視	298	南方電網	165
中国航天科技集団	653	美的集団	287	中国兵器工業集団	161
中国工商銀行	504	万科	274	Chaina Unicom	158
BOE	468	中国交通建設集団	272	広汽集団	156
Chaina Mobile	464	京東	269	中国兵器装備集団	152
中国航天科工集団	438	中国中車	263		

（注）　「985 プロジェクト」とは、中国教育部が 1998 年 5 月に定めたもので、中国の大学での研究活
　　　動の質を国際レベルに挙げるために、限られた重点大学に重点的に投資していくプログラムで
　　　ある（現在、39 カ所）。網掛けは広州・深圳の企業。
出所：2018 年各大学就職質量報告

　つである人口については、広州市と深圳市の純流入人口は年間で 100 万人を
超える水準にあり、全国トップである。さらに重要なのが、2018 年、「985 プ
ロジェクト」（図表 2-3）に分類される中国の大学（いわゆる国家戦略として
の重要大学）を卒業した学生の就職先として、広州・深圳の企業がトップ 44
社のうち、32％にあたる 14 社を占めることだ。採用された人数は、全体の
2 万 3796 人のうち、38％に当たる 8995 人だった。対比軸として世界第 1 位
の経済規模を誇るアメリカをみると、アメリカがいまでも世界経済の平均成
長率と同レベルの成長率を維持し続けている重要な要因の一つは、世界中か
らの高度人材の流入にあるといって間違いないだろう。
　広州市と深圳市は、中国政府が掲げるイノベーション駆動型経済成長を率
先して実施している。現在、この二大都市の工業付加価値創出額は、北京と

図表 2-4　工業付加価値創出額

都市名	GDP (2017) (兆元)	上場企業数	時価総額 (兆元)	平均住宅価格 (㎡あたり) (1万元)	付加価値産業 (1億元)	高校数	永住権数 (1万人居住者につき)
上　海	2.928	313	5.98	5.867	7145.0	64	2419.7
北　京	2.651	308	17.85	5.968	3884.9	91	2172.9
深　圳	2.244	290	6.62	5.403	7199.5	12	1190.8
広　州	2.15	99	1.76	3.173	4877.9	81	1404.4

出所:《21st Century Business Herald/21 世紀経済報道》17 January 2018

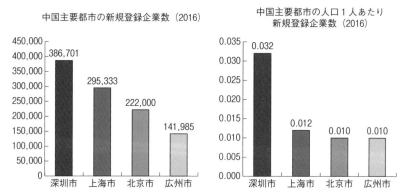

図表 2-5　中国主要都市の新規登録企業数など
出所:ジェトロ広州事務所

　上海をしのぐ水準にまで達している(図表 2-4)。

　とくに、深圳市は、イノベーション・エコシステムが非常に発達し、毎年多くのベンチャー企業を生み出している。少し古いデータになるが、深圳市の新規登録企業数は年間で 40 万社近くを記録している。2017 年の東京の新設企業数が 4 万 311 社であることを考えると、凄まじい数字であることがわかるだろう(図表 2-5)。

　深圳市の経済の歴史を振り返ると、改革開放以降、まず外資企業が入り、経済成長の基盤を形成した。その後、いまや世界から注目される、ファーウェイ、テンセント、平安集団など、グローバル 500 の上位を占めるようにな

図表 2-6　深圳市の主要企業

出所：筆者作成

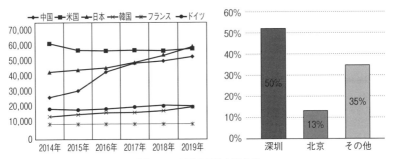

図表 2-7　中国の特許申請件数

出所：WIPO より筆者作成

ってきた民営新興企業が勃興する。いまでは、次世代の成長を支えるユニコーン企業が多く生まれている（図表 2-6）。深圳企業の国際特許申請数は中国全体の 45％を占めるほどで、深圳は新たなイノベーション都市として進化している（図表 2-7）。なお、中国の国際特許申請件数は、2019 年にはじめてアメリカを抜き世界一となった。

　広州市は中国のデトロイトといわれるように、中国最大の自動車産業の集積地となっている。2018 年の自動車生産台数は 300 万台を記録し、そのうち

〈天河区〉
・Baidu 天河イノベーションセンター合

〈増城区〉
・フォックスコン産業パーク
・日立オートモティブモーター

〈黄浦区〉
・GE 生物科技パーク
・コールドスプリングハーバー
・百済神州バイオ医薬プロジェクト（中新知識城）
・康融東方医薬
・アリババ健康運営プロジェクト
・広薬白雲山国際医療機器イノベーションパーク
・国薬融資租賃南方基地

〈海珠区〉
・テンセント Wechat 本部
・アリババ UC 移動
・科大迅飛華南本部（スマート製造）
・サーモフィッシャー（国際バイオランド）

〈番禺区〉
・思科（CISCO）智彗城
・広汽新エネ車産業パーク

〈南沙区〉
・Microsoft 広州クラウド（AI）
・亜信データグローバル本部（AI）

図表 2-8　広州市の新たな産業構造転換の動き

出所：各種資料より筆者作成

　の約半分を日系メーカーが占めている。このように、広州市は 80 年代以降、自動車産業を中心に、完備されたサプライチェーンを有している。しかし、広州市は産業のモデルチェンジを図るべく、2017 年 3 月に IAB 計画（次世代通信技術（IT）、人工知能（AI）、バイオ医薬分野（Biotechnology））を打ち出し、を新しい主軸産業に育てていく方針である。図表 2-8 は、IAB 計画が発表されて以来、広州市で新たに設立されたプロジェクトである。

　中国の改革開放のフロンティアである、広州市と深圳市は、全国に先立ち、産業構造のグレードアップを目指して、確実にそのステップを踏んでいる。

既存の産業構造をベースとして、外資系企業、中国の民営大企業がイノベーション拠点や新しい産業拠点を次々と新規に設立している。何より、これからの経済成長を支えるスタートアップ企業が数多く生まれ、BAT（アリババ、テンセント、バイドゥの頭文字）の地位を虎視眈々と狙っている。筆者は2017年に在広州日本国総領事館に着任して以来、150社以上の優良スタートアップ企業を訪問し、議論を重ねてきた。そこでみえてきたのは、中国の既存の中央企業、国有企業、民営大企業とまったく違う、ユニークな経営理念、チャレンジ精神、国際性、スピード感である。単純にすごいと思うと同時に、このまま何もしなければ、すぐに日本は追い越されてしまうという危機感が湧いてくる。

3．現地若手企業家との対談録

　広州と深圳には数多くの若手実業家がいる。彼らがどんな思いをもって起業し、将来に向けてどんなビジョンを描いているか、そして、日本市場をどのようにとらえ、日本企業との付き合い方についてどのように考えているのか、現場の生の声を紹介するために、2人の現地若手実業家との対談をお届けしたい。

　1人目は、スタンダード・ロボットの王永郡CEO（28歳）である。スタンダード・ロボットは、工業用移動ロボットの研究開発、自動走行やロボット同士の協調制御などのソフトウェア開発から製品の製造までを行っている。主に製造工場や物流倉庫内の物流ニーズにあわせ、さまざまなケースにフレキシブルに対応している。

　　石澤　中国のロボティクス分野の最高峰であるハルビン工業大学を卒業すれば、大企業への就職は選び放題だと思うが、なぜ自ら起業する道を選んだのか。
　　王　2009年、ハルビン工業大学はアジア太平洋ロボットコンテストで優勝を果たした。自分もその夢を抱いてハルビン工業大学に入学した。

入学後、すぐにロボット部に入った。大学の代表チームの一員としてロボットコンテストに出られるのは4年生のみだったので、大学3年までは、ひたすら企業や研究機関から委託を受け、さまざまなプロジェクトを通じて、技術の蓄積と、ロボットコンテストに出場するための資金獲得に努めた。というのも、ロボットコンテストに出るための経費として、だいたい100万元かかるが、学校からの支援は10万元程度しかなく、残りの90万元は自分たちで稼ぐしかなかったからだ。大学4年生のときに、チームリーダーとしてロボットコンテストに出場した。しかし、残念ながら国内予選で2位となり、決勝ラウンドに進むことがはきなかった。卒業後、インテル、マイクロソフト、DJIからオファーを頂いた。しかし、すべて断り、5人のハルビン工業大学の仲間と一緒に起業した。

石澤 なぜ、インテルとマイクロソフトのビッグオファーを断ったのか。中国ではこれが普通のことか。

王 大学生時代、インテルもマイクロソフトもインターンに行ったことがある。大企業ゆえの安心感はあったし、給料は高額だった。しかし、自分にとってまったく刺激はなかった。朝9時出勤夜5時退勤の生活は自分には耐えられないと思った。ここにいたら茹でガエルになるだろうと思った。一方、DJIは非常に活気があって、面白かった。一瞬、DJIに就職したいとも思った。しかし、よく考えたら、DJIの技術は、正直自分でもできると思ったし、30歳くらいで億万長者になったDJIの創業者がまぶしくみえた。ひょっとしたら自分もそうなれるだろうと本気で思った。それから、中国の理科系男子にとって、大企業で働くより自分で起業したほうがカッコいいし、モテると皆が思っている。それで一念発起して仲間5人で起業した。

石澤 創業初期は大変だったに違いないが、創業資金はどうやって集めたか。

王 自分が創業した2015年は、李克強総理が、「大衆創新万衆創業(2)」というスローガンを掲げた年であった。それに呼応する形で大学やインキュベーション施設が設立され、われわれ大学発ベンチャーのために、

オフィスを提供し、かつ、格安で住処を提供してくれた。食事は大学食堂を使えばよかったので、ほとんどお金がかからなかった。加えて、銀行も、ベンチャー企業のために最高額 30 万元、2 年間無利息のローンを新設した。われわれ創業者 5 名で 100 万元の融資を受け、これが創業資金だった。ちなみに、最初のころ、自分への給料は 1 カ月 2000 元だった。

石澤　実際に起業してみて 4 年経つが、現在の状況はどうか。ベンチャーの世界といえば多産多死といわれているが、うまくいっているのか。

王　起業はそう簡単ではない。同時期に起業したハルビン工業大学のベンチャー起業 7 社のうち、いまは 3 社しか残っていない。大学で技術しかやってこなかった人たちなので、技術が優れていても、資金調達や営業ノウハウがないので、あっという間に資金がショートし、つぶれてしまった。

石澤　しかし、御社はいまも存続しているし、業績も悪くないと聞く。

王　創業して半年でハルビンから深圳に会社を移した。正直、ハルビンは起業に適していない。リスクマネーが潤沢ではないし、クライアントも少ない。ハルビン政府は官僚主義で、口は出すが、たいして支援策が出てこない。視察を受ける毎日で非常に大変だった。他方、深圳はベンチャー企業にとって最高な環境だと思う。都市自体が若いし、何より街全体がベンチャーの空気感に包まれている。ベンチャーにとって必要な資金、クライアント、人材、サプライチェーンなどすべてが揃う。深圳政府も非常にサポーティブで、支援は出すが、口は出さない。創業当初、一番助かったのが、区政府と市政府レベルでさまざまなコンテストを実施しており、そこで優勝すると、数十万元の賞金をもらえたことだ。コンテストの審査員には、ベンチャーキャピタリストが多く入っており、

（2）　大衆創新万衆創業」は、日本語に直訳すると、大衆による起業、万人によるイノベーションである。これは、2015 年 6 月に、中国国務院が提唱されたスローガンである。その後、さまざまなイノベーションやベンチャー企業支援策が実施された。ちまたでは、2015 年が中国のイノベーション元年といわれている。

よい成績を収めれば、自動的に VC から資金が入る。また、深圳には、多くの民営の大企業がある。こういった企業は国営企業と比べると、非常にオープンで、かつ決断のスピードが速い。ベンチャー企業にとって、大変よいお客様である。

石澤　先ほど話にあった、残念ながら倒産してしまった四つの会社は深圳にベースを移さなかったということか。

王　しかり。もちろん、深圳も大変競争が厳しく、多くのベンチャー企業がつぶれ、多産多死の世界である。しかし、優秀なベンチャーの生存率はやはり深圳が高いと思う。

石澤　会社の従業員はもう 100 人を突破していると聞くが、人員構成はどうか。コア人材はどういった人か。

王　エンジニアが半分を占める。トップの 10 名は同じハルビン工業大学の出身者であり、残りの多くは、武漢にある華中科技大学の出身者である。

石澤　多くのベンチャー企業では、シリコンバレー帰りの留学生を採用することが多いと思うが、なぜそうではないのか。

王　シリコンバレー帰りの留学生は、AI や IT を得意とすることが多く、エンジニア人材は実はそう多くない。エンジニア人材は中国国内から集めたほうが使いやすい。加えて、当社の場合、アルゴリズムの部分もハルビン工業大学の人材で賄っているので、海外の人材に対するニーズはそれほど高くない。1 人だけイギリス帰りである。

石澤　マーケット開拓の状況はどうか。主要マーケットは国内か、それとも海外市場も念頭に置いているのか。

王　業績自体は、2018 年比で 5 倍増加した。クライアントの 9 割は国内の民営大企業と台湾系企業である。海外は 1 割程度であり、そのほとんどが東南アジアに進出した中小企業である。

石澤　なぜ、クライアントがこのような構成になっているのか。

王　まず、国内だが、国営企業はあまりにも官僚的であり、リスクを冒したくないうえに、決断が遅すぎる。ベンチャー企業としては、そのス

ピード感でやられるとつぶれてしまう。ファーウェイ、VIVO、OPPO
などの中国系民営大企業と、フォックスコーンのような台湾系大企業で
あれば、オープンイノベーションに対して大変熱心であるうえ、決断が
速い。また、中国全体として、2025 年までにスマート製造大国になる大
方針を掲げており、工場内の効率改善に積極的な企業は多い。他方、欧
米と日本の大企業は大変慎重であり、リスクをとりたくなく、決断も遅
い。

石澤　日本の企業とも数多くやりとりしていると聞くが、現状は芳しく
ないのか。

王　これまで多くの日本企業の視察を受け、たしかにいくつもの企業と
話し合いを続けている。なかには、ロボットの導入試験段階に入ってい
る企業もある。しかし、実際に当社のロボットを導入した企業はまだ 1
社のみである。正直、一つの判断にかける時間が長すぎる。日本企業は、
一度契約に成功すれば、長期的な協力関係を築けると信じているので、
いまもとても大事にしているが、つぎ込んだ莫大な労力に対し、成果は
少ないので、正直苦しい。

石澤　米中摩擦の影響はあるか。

王　大変大きいものがある。ZTE はもともと大口のお客様だったが、
アメリカの経済制裁により、売掛金の返済が 1 年以上遅れただけでなく、
いまや当社との業務が完全になくなった。ファーウェイも重要なお客様
だが、アメリカの制裁により影響を受けている。さらに大きいのが、間
接的な影響により、台湾へ行く商務ビザが大変厳しくなり、大事な台湾
のお客様との交渉に大きな支障が出ていることだ。

石澤　2030 年の中国をどうみているか。

王　正直、マクロ経済はよくわからないので、何ともいえないが、1 人
の起業家として、つねに楽観的なスタンスをとっているので、2030 年の
中国経済を悲観的にとらえてはいない。少なくとも、中国は中国製造
2025 を掲げている以上、工業 4.0 を目指し、製造業の高付加価値化、グ
レードアップを何が何でも進めていくと信じている。当社に訪れるチャ

ンスは大きいと思っている。

　2 人目のインタビュー相手は、Dorabot の鄧小白 CEO（31 歳）である。
Dorabot は、コンピュータビジョンをベースとした移動型ピッキングロボッ
トを開発しており、主に、小包や郵便物などのピッキング、仕分け、積み落
としなどに対応したソリューション提供を行っている。

　石澤　なぜ創業しようとしたのか。
　鄧　もともとは UPS アメリカ本社でマネージャーとして物流サプライ
チェーン業務に携わっていた。2015 年に帰国し、本当はアリババに転職
しようと思っていたし、実際にオファーをもらっていた。しかし、偶然
の機会に、Dorabot のもう 1 人の創業者である張浩と出会い、そこで意
気投合し、一大決心して起業することを決めた。最初は 10 平米ほどの
シェアオフィスで、ファウンダー 3 名でパソコン 3 台を抱えて、ひたす
らアルゴリズムを書いていた。そこから 4 年が経ち、まだまだ小さいが、
従業員 200 人、企業価値 3 億米ドルまで成長した。
　石澤　創業初期はどうだったか。
　鄧　2015 年は、李克強総理が、「大衆創新万衆創業」というスローガン
を掲げた年であり、ベンチャーブームだった。当社も、創業間もない、
ベンチャーキャピタルである Sinovation Ventures シノベーション社か
らエンジェル投資を受けた。また、当社の多くの従業員が海外人材だっ
たので、深圳市の孔雀計画（海外人材誘致政策）に申請して、1 人当た
り数百万元単位の補助金をもらった。資金に心配することはそれほどな
く、研究開発に没頭できた。また、E コマースの勃興により、倉庫と物
流の効率化ニーズが高まった。マーケットニーズが高まり、背中を押さ
れた形で、次々と、ピッキングロボット、積み下ろしロボット、運搬ロ
ボットを開発した。
　石澤　人材確保はどうしているのか。
　鄧　おかげ様で従業員は 200 名超まで拡大し、その 8 割がエンジニアで

ある。また、多くの海外人材を有しており、国籍は 10 カ国以上である。なかには、アマゾンピッキングチャレンジの歴代チャンピオン、スタンフォードやジョージア理科大学出身のドクター、ABB や DJI 出身の企業人材など、多様な人材が在籍している。

石澤　市場開拓の状況はどうか。国内がメインか。

鄧　現在、欧米市場がメインである。米 UPS や独 BASF などと業務提携している。米アマゾンとも交渉したが、独占契約が条件ということで、お断りした。

石澤　米中貿易摩擦は影響ないのか。

鄧　われわれにとってまったく影響はない。アメリカ企業は非常に賢いと思う。政治がどうであろうと、ビジネスはビジネスとして割り切って、実利をとろうという気持ちが非常に強い。

石澤　中国市場は開拓しないのか。

鄧　中国市場だが、人件費がまだ低く、ロボットを導入するニーズが高くない。加えて、売掛金の回収が難しく、大企業であっても平気で 2 年以上待たされるケースが散見される。体力のないベンチャー企業にとっては死活問題である。それであれば、海外市場でブランド力を高め、体力をつけてから国内市場を攻めたほうがよい。

石澤　日本市場をどう考えているのか。

鄧　日本は大変魅力的な市場である。高齢化が進んだ日本では、ロボットへのニーズは大変高く、マーケットのポテンシャルが大きい。もちろん、日本企業の決断スピードは非常に遅いことはわかっている。だから、2 年後のビジネス成立を想定して 2 年前から動かなければならない心の準備ができている。今年は、日本に通い詰めた。その結果、いくつかの会社と初期的な意向確認ができた。来年、日本チームを組織し、業務の細かいところの詰めの作業を行っていく。

石澤　コストパフォーマンスが悪すぎではないか。

鄧　スピードの遅さや言葉の壁など、苦しいところもたくさんあるが、長期的に考えればそんなことはない。一度ビジネスが成立すれば、長期

的な安定性を確保できる。売掛金回収で頭を悩ますこともない。そもそも、ハードウェアを得意とする日本企業は、アメリカ並みのソフトウェアの力をつけてきた中国企業との親和性が高い。それから、個人的に、アメリカ抜きでも、日本と中国だけで、完璧なサプライチェーンをつくることができると思う。日本の良質な資金（利子の低い長期資金）を欲しがる中国のベンチャー企業はこれからますます増えるだろう。中国のリスクマネーは大変厳しい状況に陥ており、ボリュームが減ってきただけでなく、投資タームが非常に短くなっている。3年でモノにならならいと、引き上げられてしまうケースも多発している。

石澤　中国のベンチャー企業の未来をどう考えるか。

鄧　世界のイノベーションの中心は確実にシリコンバレーからアジアにシフトしつつある。凄まじい成長を遂げたシリコンバレーはいまや大企業中心の地となり、ベンチャーが育つアニマルスピリッツが薄れてきている。ここ数年、世界を賑わしているユニコーン企業はどこの国で一番生まれているかといえば、それは中国である。また、他の地域はわからないが、深圳のベンチャー企業は、リアルビジネスに関わっている場合が多く、技術、国際感覚、アニマルスピリッツの三拍子も揃っている。まだまだ成長の余地がある。

　この2社のCEOの話を聞いてどう考えるか？　筆者は、そのスケールの大きさ、チャンレンジ精神の旺盛さ、世の中のトレンドを読む力に感動せずにはいられない。そして、日本は、こういった優秀なベンチャー企業とどのように付き合っていくべきか、多くのヒントをもらえた気がする。

4．日本──珠江デルタとの付き合い方を考える

　日本は、バブル崩壊以降、30年もの間経済が停滞し、80年代以降に生まれたわれわれの世代は、経済成長をまったく経験してこなかったといっても過言ではない。日本をもう一度経済成長軌道に乗せるべく、日本政府は、第

４次産業革命（Societ5.0）を打ち出し、それに向けた環境整備に努めている。日本再興戦略 2016 では、第 4 次産業革命（Societ5.0）によって、世界は、「IoT により全てのものがインターネットでつながり、それを通じて収集・蓄積される、いわゆるビッグデータが人工知能により分析され、その結果とロボットや情報端末等を活用することで今まで想像だにできなかった商品やサービスが次々と世の中に登場する。サイバー空間とフィジカル空間が高度に融合し、また、財・サービスを提供する側と消費する側といった垣根も取り払われるなど新たなビジネスモデルが生み出され、多くの社会的な課題が解決されるとともに、生活の質も飛躍的に向上していく」と記載している。しかしこれは、ハイテク技術、ビッグデータがさまざまな産業と高度かつ横断的に融合することでやっと実現できる、非常に難しい世界だと思う。日本一国では到底達成できないことである。

　オープンイノベーションという言葉がある。自社だけでなく他社、大学、研究機関などがもつ技術やサービスなどを組み合わせ、革新的なプロダクトやサービス開発につなげるイノベーションの方法であると、一般的にいわれている。これからの世界は、国境を取り払い、クロスボーダーでのオープンイノベーションが重要になる。なぜなら、あらゆる分野でハードウェアとソフトウェアの両方を備えもつ国はまず存在しないからだ。サプライチェーンは世界中に広がっており、技術も世界中に分布している。第 4 次産業革命では、革新的なプロダクトとサービスを生み出すために、クロスボーダーでのオープンイノベーションが不可欠である。

　日本は、かつてモノづくり強国だった、いまもそうであると信じたい。足りないのは、製品やモノに近い領域のデジタル技術を育成し、強化することである。その目的のために、国境を越えて、外から資源を取り込む選択肢を排除すべきではない。そして、ソフトウェア、とくに、リアルビジネスに近いソフトウェア技術をもつのは、シリコンバレーだけではなく、新たなイノベーション拠点として台頭してきているインド、イスラエル、中国である。どのような状況においても、オプションが多いことは悪いことではない。

　上述したように、広州と深圳は、改革開放以降、自動車産業と電気電子産

業が集積し、世界の工場といわれるほど、完備されたサプライチェーンを備えもつ。それを基礎として、中国国内そして、海外から優秀な人材が集まり、2015年からのベンチャーブームに乗って、数多くの優秀なスタートアップが生まれた。ほとんどがまだできて数年の起業であるし、IT系のビジネスモデルイノベーションではなく、リアルビジネスに近い企業であるため、バリューエーションはまだそれほど高くない。リソースを取り込む絶好のタイミングを失うべきではない。重要なのは、世の中には、シリコンバレー以外にも選択肢があることをしっかり認識すること、そして見定まったあとに、迅速に判断を行うことである。

　広州市と深圳市のスタートアップは、その多くがシリコンバレー仕込みであり、思考回路はきわめて近い。ビジネスライクであるうえに、スピードが速い。もちろん同じのアジア文化圏であり、言葉は違えど、信頼ができれば一定の融通が利く部分はある。しかし、それはコストパフォーマンスを無視するほどのものではないのは明らかである。客観的な視点をもち、積極的な情報収集をすることにより、情報非対称性を解消し、合理的なオプションをスピード感をもって判断していく必要がある。

　世界第一の経済規模をもつアメリカの強みは、外部資源の取り込みである。一方、日本は少子高齢化により、国内市場がシュリンクし、国内資源も欠如しつつある。とくに、第4次産業革命を実現するためには、外部資源を取り込む姿勢がアメリカ以上にならない限り、経済成長はありえない。資源をどこから取り込むかは、上述のとおり、示したつもりである。客観的かつ合理的判断を切に期待したいし、チャンスをものにしてほしい。

第3章 急速に台頭してきた中国の革新力と持続性

金　堅敏

　米中貿易紛争は、世界経済の主要なリスクとして浮上してきている。紛争自体も、伝統的な関税引き上げ合戦から「中国製造2025」に代表される産業政策とかかわる構造問題、そして未来技術・未来産業の主導権争いにまで拡散している。アメリカは、2001年の中国のWTO加盟以降控えてきた「301条調査」を復活させ、中国に市場開放を迫るとともに知財保護や産業政策の是正を要求している。貿易紛争で影響を受けた両国経済や選挙事情などから米中は第一段階の合意に達したが、技術分野、特にハイテク分野における駆け引きは今後も長く続くであろう。

　歴史的にみると、2000年までの中国では大量の労働力や土地などの資源の投入による経済成長が可能であったため、イノベーションは政策の飾りのようなものであった。しかし、2000年代に入ると、安い労働力やエネルギー・原材料の大量消費で成り立っていた中国の成長モデルは限界に達した。また、世界中の知的財産権重視の機運によって、これまでの技術導入チャネルは先細りになってきた。2006年頃から中国は、「革新国造り」を目指してナショナルイノベーションシステムの改革や、R&D投資の拡大、規制緩和などを進めてきた。

　その結果、中国では国内外への特許申請が急増し、5G、AI、IoTなどの次世代技術開発もさかんになっており、BATH（百度、アリババ、テンセント、華為（ファーウェイ））や、次世代デジタル技術を身につける有力新興企業（AIユニコーンなど）が大量出現し、世界の技術革新に頭角をあらわしてきている。

　本章では、中国の革新力が急速に台頭してきた背景とその持続力を探って

いく。

1. 活発なベンチャー活動をもたらすナショナルイノベーションシステム改革

　実際、中国では「抓新放旧」（新しい産業をつかみ古い産業を手放す）という言葉をよく耳にする。市場経済移行期にいわれた「抓大放小」（大企業をつかみ中小企業を手放す）というスローガンと、ニュアンス的に逆の方向にあるように思える。重厚長大産業を主体とする旧経済の整理統合と、「三新経済」（新技術、新産業、新業態）を柱とするニューエコノミーの台頭が際立ってきているのが、最近の中国経済の特長といえる。

「自主創新」政策の成果と課題
　2006 年以降、イノベーション能力のある大企業がまだない段階において、全国の資源を総動員して一つのイノベーションを引き起こすという中国得意の「挙国体制」は、トータルな技術基盤が必要なスケールの大きいイノベーション分野で、一定の成果を収めた。例えば、世界最高速度のスパコンや世界一超高圧送電技術のほかに、世界最長運営距離を誇る高速鉄道技術、第三世代原子力発電所（AP1000）が挙げられる。これらのイノベーション創出は、要素技術は必ずしも中国のオリジナル開発でなくても、市場形成のなかで応用技術の開発を積み重ねていく統合型イノベーションである。しかし、元来、中国の政府主導・国有企業主導の「挙国体制」イノベーションは、「重厚長大」の分野に傾いており、民生分野は取り残されていた。
　そして近年、中国のイノベーション分野では、非効率な国有企業よりも、規制をくぐって市場競争環境のなかで台頭し巨大化してきた私有企業あるいは民営企業（国が一部所有）が、市場経済のイノベーション創出の主役になってきている。建機分野の「三一重工」、通信機器分野の「華為（ファーウェイ）」（非上場民営企業）・「ZTE」（国有民営企業）は、革新的な新興企業として世界的に名を高めてきている。これらの有力企業のイノベーション活動は、多様性に富み、迅速性が求められる「軽薄短小」分野やサービス分野な

どにおいて、一定の成果を上げている。

　実際に、十数年をかけて、中国は、大量な研究開発投資を行い、理系人材育成に力を入れてきた。その結果として、特許の申請・取得といった中間的なアウトプットは、世界トップレベルに達した。

　同じ新興国であるインドなどを、大きくリードし、イノベーションの先進国である日米と比べても知財の数量では同レベルか、凌駕している。とくに、国際特許（PCT）出願数では、中国は 2003 年から毎年 10％以上の伸びを記録し、2018 年に 9.1％増の 5 万 3345 件でアメリカの 5 万 6142 件（－0.9％減）に次ぐ第 2 位となった。2018 の企業 PCT 特許申請トップ 10 に華為（ファーウェイ）技術（第 1 位）、中興通信（第 5 位）、京東方科技術集団（第 7 位）の 3 社もランクインしている[1]。

　まさに、中国が、「コピー天国」から「知財大国」になったと評価されよう。

　また、コーネル大学、欧州経営大学院（INSEAD）、世界知的所有権機関 WIPO の共同評価で公表される「グローバル・イノベーション・インデックス[2]」によれば、近年中国のイノベーション能力は急速に高まってきており、2019 年の評価では世界で 14 位にランクインした。ちなみに、同評価では、アメリカは第 3 位、ドイツは第 9 位、日本は第 15 位にランクインされている。

　ただし、中国の産業発展の特徴的な課題として、財の生産における基幹的な部品・生産技術が欠けているために海外（日・独・韓・台湾など）からの輸入に依存しているのが現状である。集積回路（IC）や自動車用自動変速機の貿易赤字は拡大傾向にある。中国人観光客の「爆買い」もまた、その一つの形態として現れた現象である。筆者は、このような産業発展の歪な状態を

（1）　WIPO（2019）WIPO 2018 IP Services: Innovators File Record Number of International Patent Applications, With Asia Now Leading（https://www.wipo.int/pressroom/en/articles/2019/article_0004.html）

（2）　"Global Innovation Index 2019 Report"（https://www.wipo.int/edocs/pubdocs/en/wipo_pub_gii_2019_exec.pdf）
　　　評価は、イノベーション投入 5 指標（制度、人的資本と研究者、インフラ、市場成熟度、ビジネス成熟度）とイノベーション産出 2 指標（知識・技術、創造品・サービス）によって行われる。

「産業の空芯化」と呼んでいる。

ベンチマークとなるアメリカ・シリコンバレーのイノベーションシステム

　ところで、世界で技術研究と研究成果の産業化・商品化とのギャップをなくし、ビジネスで成功させ、そのイノベーション・プロセスが持続的になっている場所がある。それは、アメリカ・シリコンバレーである。世界各国・地域は一様に、シリコンバレーのイノベーションシステムをベンチマークとして学び、再現しようと試みている。中国も例外ではない。

　世界知的財産権機関（WIPO）によると、特許数で評価した知識集積地域としては、シリコンバレーは、東京圏や中国の深圳・香港エリアに及ばない[3]ものの、世界をリードする企業が次から次へと生まれ、新しい奇跡を作り上げてきている。実際、シリコンバレーで発明された技術は数少ないが、シリコンバレーは、独特で魔法的な嗅覚をもち、ある発明が社会に破壊的な進化をもたらす可能性をもつかどうかを理解し、そして発明された技術をビジネスに活かして富を築き上げる役割を果たしている[4]。シリコンバレーが「イノベーション工場（factory of innovation）と呼ばれるゆえんである。

　シリコンバレーのイノベーションシステムの成功要因はなにか。そのイノベーションモデルは他の地域にコピーできるだろうか。現地調査を通じて筆者が感じたのは、シリコンバレーのイノベーションシステムに関する個々の要素（例えば、世界中からの有力人材の誘致、有名大学の存在、リスクマネーの供給など）は模倣可能であるが、これらの要素をリンケージさせ、統合したシリコンバレーモデルをコピーすることはできないということである。むしろ、これらの要素を取り入れたエコシステムの創造や、それぞれの国々や地域の実態にあわせた再構築が、必要ではないか。

　そもそも、シリコンバレーのイノベーション・エコシステムを構成する要素とはなにかを明らかにする必要がある。幸いにも既存の研究書籍は数多く

（3）　注（2）に同じ。
（4）　Arun Rao（2013）*A History of Silicon Valley: The Greatest Creation of Wealth in the History of the Planet*

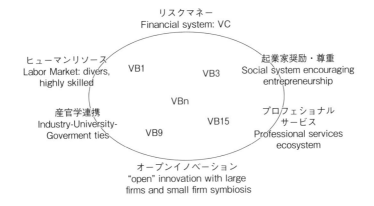

図表 3-1　シリコンバレーのエコシステムの特徴

出所：Stanford（2017）"Science and Technology Trends"

存在する。例えば、筆者が参考にした『シリコンバレーの歴史』（Arun Rao, *A History of Silicon Valley*, 2013）は、シリコンバレーの成功ストーリーを歴史的に検証した著作である。素人が、なにかを自分でつくったり、修繕したりする DIY 文化、政府と民間との融合（政府はかつてシリコンバレー最大のベンチャーキャピタルと評価された）、生活に適した気候、クールな文化と移民への寛容さ、自由闊達な思想文化、などによる人材の吸引力、創業と失敗を許容する文化、成功した創業者による新米への支援（億万長者は億万長者になれた経験を世の中に還流することなど）など、著者はシリコンバレーの成功の神髄を語っている。

　世の中では、シリコンバレーの成功は、イノベーションのエコシステムが形成されているからであると評価している。例えば、図表 3-1 が示すように、スタンフォード大学のケンシクシダ教授は、シリコンバレーのエコシステムを六つの要素にまとめている。

　①多様な金融システム（リスクマネー）、②多様で洗練された人材市場、③産官学連携メカニズム、④大企業と小企業の共生をもたらすオープン・イノベーション、⑤企業家精神を奨励する社会システム、⑥専門サービスシステム（法律、財務、人材仲介、オフィスなど）からなる。このエコシステム

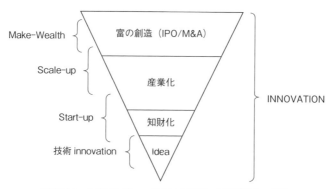

図表 3-2　シリコンバレーにおける創新・創業活動の一貫性
出所：筆者ヒアリングによるまとめ

仮説は、シリコンバレーの成功ストーリーを語る教科書的な解説ということもでき、各国はそろって実践を試みている。

　また、現地調査を通じて筆者自身が感じたその他のシリコンバレーの成功要因としては、①ストックオプションで会社の株を持たせることで、従業員が企業成長の果実を享受できること（世界中の人材に魅力を感じさせるインセンティブの一つ）、②寛容な創業環境（例えば、社内で自由な活動をできるだけ与える、兼業や起業を自由にする、離職して起業等を行った社員の再入社を歓迎する、など）が整っていること、③移民による文化の多様性を通じてスタートアップ時からグローバルな文化を有すること、なども挙げられる。

　しかし、以上でみてきたシリコンバレーの成功ストーリーを語る諸説は、平面的な解説（横軸）にとどまり、技術開発と産業化のギャップがいかに解消されたかを説明するには物足りないと感じる。

　シリコンバレーでの現地ヒアリング調査を通じて筆者が確認したのは、以下のことである。図表 3-2 が示すように、シリコンバレーのベンチャー・イノベーションシステムは、アイディアに基づく技術イノベーションから、創業（Start-up）を経てビジネスイノベーション（Scale-up）へ、そして IPO によるさらなる「富の創造」（Make Wealth）まで一気に貫通するイノベー

ション・プロセスとなっていることである。

　三十数年間にわたってシリコンバレーの発展を経験してきた元北カリフォニア VC（ベンチャーキャピタル）協会会長のダビドリューは、シリコンバレーモデルを「4i」（Idea、IP（Intellectual Property）、IB（innovative business）、IPO（initial public offering））モデルとまとめている[5]。このように、技術イノベーション、創業、成長、富の創造まで一気に貫通する枠組みでシリコンバレーモデルを分析する手法（縦軸）は、技術イノベーションと産業化とのギャップ解消や、シリコンバレーにゾンビ企業が存在しない現象を解説するために有用である。

イノベーションシステムの改革

　中国は、①国立研究機関・大学や大企業を中心とするイノベーションシステムの非効率性、②市場ニーズへの反応の鈍さ、③技術開発と産業化の埋められないギャップ、などの課題および④自国消費構造の高度化をふまえて、⑤デジタル技術の急速な普及や世界中で生じている産業革命の趨勢を見据え、米シリコンバレーモデルを参考にしながら、ナショナルイノベーションシステムの改革に乗り出した。

　まず、2014 年末ごろから、先行している消費の高度化に応える新産業・新技術を生み出す新たなイノベーション環境を形成し、経済成長の新たな原動力を生み出すため、「大衆創業、万衆創新」という政策を推進している。これには 96 条の政策措置が含まれており[6]、一部のエリートによる、イノベーションから草の根レベルの創業やイノベーションまでを奨励している。とくに、大学や研究機関の研究者（離職して創業）、大学生、海外人材などによる技術型創業を支援する。実際、創新創業の政策支援は、中央政府から地方政府まで幅広く推し進められている。

　打ち出された政策は、イノベーションの地域的集積や技術の産業化、大

（5）　2018 年 1 月 11 日にシリコンバレーでダビドリュー氏に対する筆者のヒアリング。
（6）　2015 年 6 月 11 日に公表された「大衆創業万衆創新（「双創」）の推進に関する国務院の若干政策措置の意見」。

学・研究機関・大企業とベンチャー企業との協創を促している[7]。ベンチャー企業支援やエコシステムの形成はシリコンバレーを含む世界共通の課題であるが、中国の特長は、「大学・研究所・大企業に事業体の有する市場チャネル、資金、研究開発、人材等のイノベーション・経営資源を開放させ、ベンチャー企業の発展を支援することを奨励する」ことにある。

2017年7月21日には「創新駆動発展戦略を強化し、大衆創業・万衆創新のさらなる発展を推し進める意見」を公布した[8]。この政策文書では、①創業創新政策と、これまでに実施されている「インターネット＋」、「中国製造2025」、「軍民融合発展」、「AI発展政策」等の政策との整合性を推進すること、②創業創新政策の対象主体を技術者、大学生、海外帰国人材から出稼ぎ労働者、退役軍人、外国人まで広げること、③エンジェル投資家等のリスクマネーへの税優遇や、初期製品・装備の普及政策等の政策を具体化すること、④創業創新政策を「一帯一路」構想まで広げていくこと、などが取り上げられている。

実際、「大衆創業、万衆創新」政策の目的としては、経済成長の新たな原動力形成にとどまらず、創業活動による雇用効果も挙げられる。だが、究極目的は、中国社会にイノベーションの理念・精神や起業文化、企業家精神、匠の精神などを形成して融合させることにあろう。中国政府は、「大衆創業、万衆創新」によって、次の華為（ファーウェイ）、「BAT」が出現することを願っているにちがいない。

以上説明してきた中国における新たなイノベーションシステムは、図表3-3のようにまとめられる。これはピラミッド型イノベーションシステムといえよう。主にインフラや基盤産業を対象とする政府主導のイノベーション・セクターがピラミッドの頂点に位置し、量産分野・サービスなどの既存産業のイノベーションは民間大企業が担う。ピラミットの底辺分部は、大量の草の根（個人やベンチャー）によって行われるイノベーションである。

（7）　2016年5月12日に「大衆創業万衆創新モデル基地建設に関する実施意見」を公布。
（8）　http://www.most.gov.cn/mostinfo/xinxifenlei/fgzc/gfxwj/gfxwj2017/201707/t20170728_134303.htm

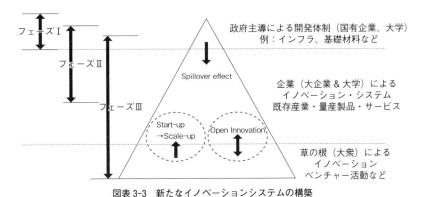

図表 3-3　新たなイノベーションシステムの構築

出所：筆者作成

　イノベーション大国であるアメリカの経験からも示唆されるように、上述した新たなイノベーションシステムが機能するためには、頂点にある政府系イノベーション機関（中国特有のものであり、アメリカには現在ではこの部分への関与が少なくなっているものの、前述したようにかつてはシリコンバレーでも政府は最大の VC であった時期もあった）と、伝統的なイノベーション主体である大企業と、底辺にある無数のベンチャー企業（GAFA のように一部は「ジャイアントベンチャー」ともいえる巨大企業に急成長したが）の三者間の協働が重要である。前述した大企業による「双創」政策は、企業内部のベンチャー活動とともに、外部のベンチャーとの連携やサポートという一石二鳥を狙うものだといえる。大企業と独立系ベンチャーとの連携というオープン・イノベーションの推進を特に重視しているという点で、米シリコンバレーの成功経験を参考にした政策であるといえよう。

新たなインキュベーション・システムの構築

　上述した「大衆創業、万衆創新」のムーブメントを引き起こすためには、さまざまな課題を克服していかなければならない。課題の一つは、新規創業企業の数年後の生存率が低いことである。例えば、調査会社麦可思研究院の調査によると、大学生卒業直後の創業率は 2011 年の 1.6％から 2015 年の

3.0％までに高まったが、創業したベンチャーの3年後の生存率は、2010年創業の42.2％から2012年の47.8％にとどまっていた[9]。

創業失敗の要因トップ3に「資金不足」、「事業運営の経験欠如」、「マーケティングの難しさ」が挙げられている。したがって、これら新規創業企業の生存率、あるいは起業効率を高めるためのイノベーションサポート基盤の整備が重要である。アメリカで数多くのベンチャー企業が成功しているのは、活発なVC活動や数多くのインキュベーターあるいはアクセラレーターなどのイノベーションシステムが存在しているからである。

この課題解決のため、中国政府は、「大衆創業、万衆創新」政策の一環として、「草の根」創業・創新をサポートするインキュベーション政策[10]もあわせて講じている。図表3-4が示すような「衆創空間」とは、「広範な創新創業者に良好なオフィス環境、ネット環境、社交環境とリソースの共有環境を備え、低コストで利便性が高く、必要な全要素が揃っており、開放的な空間で、創新と創業、オンラインとオフライン、孵化と投資の両立を実現する総合サービス・プラットフォームである」（法的登録した企業法人も含む）とされている。

このような定義からすれば、中国でいう「衆創空間」には、海外でいうCo-Working Space から Makerspace、Hackspace、そして Startup Acceleratorまで含まれると考える。これまで中国では、大衆向けの初期段階あるいはスタートアップ段階のイノベーションシステムはあまり構築されていなかった。「衆創空間」の整備によって、「衆創空間」、「孵化器」（中国版インキュベーター）、産業パークからなる新規産業インキュベーション・システムの完成が期待されている。

このような「衆創空間」は、在来のインキュベーターのように政府（とくに地方政府）が直接設立するのではなく、民間資本が設立した「衆創空間」

（9） http://www.pishu.cn/zxzx/xwdt/376921.shtml
（10） 2015年3月2日に「「衆創空間」の発展による大衆創新創業を推進する国務院弁公室の指導意見」、2016年2月18日に「「衆創空間」の発展加速による実体経済のリストラ・高度化への寄与に関する指導意見」をそれぞれ公布。

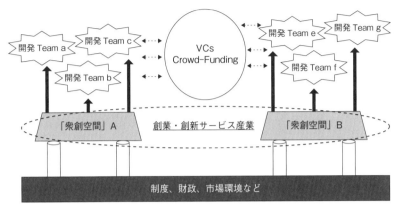

図表3-4　インキュベーター「衆創空間」政策のイメージ

出所：筆者ヒアリング

を、政府が認定して税制優遇や財政支援を行う仕組みになっている。つまり、中国は、「衆創空間」をイノベーションサービス産業として育成していこうとしている。

　また、①大企業や大学・研究所が「衆創空間」を設立してオープン・イノベーションを行うことを奨励し、②ネット関連の「衆創空間」が多いことを鑑み、電子情報、バイオ、農業、ハイエンド装備、新エネルギー、新材料、省エネ・環境、医療・衛生、文化・クリエティブ産業と現代サービス業などの重点分野で「衆創空間」の設立を推進し、③「衆創空間」の国際協力と国際化を進める、といったことも、今後の政策における重点的課題として挙げられている。とくに、創業創新政策によって伝統的な産業の高度化を図っていることに注目したい。

２．創業・創新に成果──ベンチャーブーム、急増するユニコーン

　上述した政策展開には一定の成果も現れている。在来産業では設備過剰等で国有企業を中心とする多くの企業が経営不振に喘いでいるが、民間企業を中心とする電子商取引（EC）、スマホ決済などに代表されるネット市場やシ

ェアリングエコノミー、医療、教育などのサービス市場は拡大し続けており、これら新興市場で創業ブームが生じている。実際、日本のメディアでも、これらの分野における中国新興企業の台頭に関するニュースが多く取り上げられている。例えば、電子商取引やオンライン決済などを行うアリババ、ソーシャルメディア WeChat を運営しているテンセントなどのネット巨人や、中国版 Uber「滴滴出行」、消費者向けドローン市場で世界最大手の DJI などのユニコーンに関するニュースをよく目にするようになっており、一部の新興企業はすでに日本に上陸している。

ベンチャーブーム

　創業を目指す人と経営ノウハウや技術をもった人が集まり、ここから生み出されたイノベーションチームが、エンジェル、VC やクラウドファンディングを利用して資金を調達し、一人前のベンチャー企業へと成長していくという米シリコンバレーのモデルが、近年、中国においても再現されようとしている。

　中国政府の統計によると、2013 年の新規企業登録数は月ベースで 20.86 万社であったが、2018 年は 58.9 万社まで 3 倍近くに拡大してきた[11]。統計データから単純計算すると、中国の開業率（年間新設立企業／前年末の企業総数）は、2013 年 18.3％から 2018 年の約 23.9％に高まった。もちろん、中国で新規設立された企業はイノベーションの要素が薄いものも多いが、日本の開業率 5％前後はいうまでもなく、アメリカの開業率 10％前後をはるかに超えるもので、活発な創業活動を物語っている。

　シリコンバレーなどの先進地域とも比較可能なベンチャー活動（創業とイノベーションを融合した活動）を促進するために、中国は、新規設立された小規模企業からイノベーションの要素を付け加えた支援政策を実施している。支援政策は、①普通の新規「中小企業」は中小企業政策で対応し、②「スタートアップ科技型企業」には、一定の条件（大卒以上の比率、エンジェル・

---

(11)　http://www.saic.gov.cn

VCからの投資があるなど）の下で開発費用の税控除などのスタートアップ科技企業政策を適用し、③「科学技術型中小企業」は、研究開発要員、研究開発投資、研究開発成果（特許など）の評価認定にもとづき、より充実した優遇政策を受けられる技術志向型スタートアップ企業政策で対応する、というように三つに分けられる。

　それぞれの小規模企業がどのぐらい存続しているかという統計データは公表されていないが、「スタートアップ科技型企業」と「科学技術型中小企業」をあわせた、いわゆるイノベイティブなベンチャー企業は数十万社あると、李克強首相は演説で明らかにしている[12]。

　筆者は、中国におけるいくつかの「衆創空間」や海外にある中国系インキュベーターを訪問したが、数多くのベンチャー企業が活発に活動しているのが目につき、イノベーション活動の大衆化が進んでいることを実感した。

　例えば、イノベーション活動で有名な深圳では、ミニプロジェクターや卓上ロボット、小型スマートオーブンレンジ、ドローン、VR（バーチャルリアリティ）とAR（拡張現実）などの開発が活発になっている。創業創新活動が活発な杭州では、2016年に創業したばかりのAIC SystemsがIoT（もののインターネット）やAI（人工知能）を活用した自走式ロボットを開発し、大手のEC物流企業に製品の納入を開始した。また、生活に密着したAI製品を目指す「大拿科技」では、米国向けのソフト開発会社を運営しながら、2015年8月にパターン認識機能を組み込んだ花認識アプリをリリースし、2年半でユーザーは約1000万に達した。このパターン認識技術を応用して、有名病院と提携し皮膚病診断アプリを、中国ではじめて開発したという。

増加するユニコーン

　数多くのベンチャー企業のなかから、インキュベーションプロセスを通じて成長し、その価値が投資家の目に付いてさらなる投資を呼び込んで、また一回り成長した企業になる。投資家による評価額が10億ドルに達したら、

（12）　http://www.xinhuanet.com/politics/2017-06/02/c_1121073411.htm

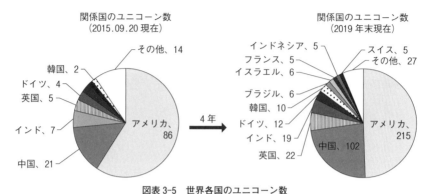

関係国のユニコーン数
（2015.09.20 現在）

その他、14
韓国、2
ドイツ、4
英国、5
インド、7
中国、21
アメリカ、86

4 年 →

関係国のユニコーン数
（2019 年末現在）

インドネシア、5
フランス、5
イスラエル、6
ブラジル、6
韓国、10
ドイツ、12
インド、19
英国、22
スイス、5
その他、27
アメリカ、215
中国、102

図表 3-5　世界各国のユニコーン数

出所：CB Insights

メガベンチャーとしてのユニコーンになる。

　産業の高度化を急ぐ中国では、新規産業育成の成果としてユニコーンへの
こだわりが強い。筆者も、中国現地訪問で、地方産業振興担当者から「わが
地でもユニコーンが生まれるよう政策を練っている」という話を聞いた。つ
まり、中国はもはやベンチャーブームに満足せず、イノベーション政策の目
線は、すでにベンチャーからの進化形であるユニコーン量産に目標を高めて
いる。実際、2009 年からこれらのユニコーンを追跡した結果、約 60％は
IPO によって上場企業となり、当該事業分野でユニークな存在となり経済成
長を支えている。

　アメリカの調査会社 CB Insights の調査（図表 3-5）によると、2019 年末現
在、中国ユニコーンは 102 社に達し、アメリカの 215 社には遅れをとってい
るが、その他の国々を大きくリードしている。そのうち、B2C の分野やハー
ドウェアの分野ではアメリカと互角といえるまで成長してきている。顔認識
やコンピュータビジョン等の AI 分野でもユニークなユニコーンが存在して
いる。自動運転などの応用分野でも存在感が高まってきている。

　図表 3-6 で示すように、4 年間で中国 AI ユニコーンもすでに 14 社前後に
達した。一部は、アメリカから目を付けられ制裁（制裁の理由は別として）
をかけられるほど、成長したのである。

図表 3-6　中国の代表的な AI ユニコーン

• Cambricon	寒地紀科技	（AI チップ）	Alibaba
• Horizon Robotics	地平線	（智能ロボット）	GSR Ventures
• Face⁺⁺（Megvii）	旷視科技	（顔認識）	Alibaba
• Sense Time	商湯科技	（コンピュータービジョン）	Alibaba、Softbank
• Cloudwalk	雲衆科技	（コンピュータービジョン）	Atlas Capital
• Intellifusion	雲天励飛	（コンピュータービジョン）	BOC International
• Yitu Technology	依図科技	（同上＋ AI チップ）	Sequoia Capital
• 4Paradigm	第四范式	（アルゴリズム）	Sequoia Capital China
• Unisound	雲知声	（ビッグデータ、IoT）	Qiming Venture Partners
• Momenta	初速度	（自動運転）	Tecent
• Pony.ai	小馬智行	（自動運転）	Sequoia Capital
• TuSimple	図森技術	（自動運転、トラック）	Sina Weibo Fund
• iCarbonX	碳雲智能	（ヘルスケア）	Tencent
• Toutiao	今日頭条	（デジタルメディア）	Softbank Group

出所：CB Insights

ベンチャー活動インフラとしての BATH など——投資家、インキュベーターの役割も

　さらに、中国では、市場競争を勝ち抜いたメガベンチャー（ユニコーン）や巨大ベンチャー（BATJ など、百度 Baidu、アリババ Alibaba、テンセント Tencent、京東 JingDong）などの成功者が、経済圏あるいはエコシステムの形成のためにさらなる投資や育成活動を行っている。大きく成長した企業は、企業の社会的責任（CSR）として、国の「大衆創業、万衆創新」政策をサポートしている。つまり、これらの成功者、成功企業は、エンジェル・VC として資金を提供し、「衆創空間」などを設立して新規創業者等のベンチャー企業をインキュベートする役割も果たしている。このような理念や行動は、前述したシリコンバレーで成功した企業家の思いと重なる。

　マッキンゼー社の調査によると、中国国内のベンチャー投資に占めるBATJ の投資比率は、2013 年の約 10%（2.3 億ドル）から 2016 年の 42%（130 億ドル）に上がっている。対するアメリカ FANG（Facebook、Amazon、

Netflix、Google）は 2013 年の 4 ％から 2016 年の 5 ％にしかなっていない[13]。また、中国のトップ 50 のベンチャー企業の 14％は BATJ の元従業員によって設立されたものである。つまり、BATJ のような成功した巨大ベンチャーは、リスクマネーを供給しているだけではなく、ベンチャーを引き起こす創業人材をも供給する役割を果たしている。これこそが起業人材のエコシステムだといえよう。

これらの成功企業は、自社内の技術やサービスないしビジネスモデルを開発・応用していくにとどまらず、サプライヤーや顧客をはじめ、一般社会にイノベーションの基盤インフラ、あるいはプラットフォームを提供し、イノベーション・コミュニティを形成させている。

アリババでは、自社ビジネスに必要になったために開発したオンライン決済ツール、信用評価システム、ビッグデータ・クラウド技術などを第三者に開放し、第三者の開発インフラとして提供している。また、「雲栖小鎮」や「創新牧場」などの「衆創空間」を設立して、イノベーションの支援を強化している[14]。

テンセントも、2011 年 6 月技術のオープン化宣言（無料 SDK、API 提供）に続き、2015 年には「双百計画」（3 年間で 100 億元のリソースを投入して100 社の評価額 1 億元を超えるベンチャー企業を育成する）を宣言した。不特定多数の創業者のイノベーションをサポートする、30 カ所以上の「衆創空間」（Tencent group innovation spaces）計画を展開して、ベンチャー企業の活力を生かしている[15]。実際、テンセントは 3 年間でベンチャー企業 100社に投資し、評価額約 600 億元（約 1 兆円）の実績を収めている。これをふまえて、AI ベンチャーなどを中心に新たな「百億計画」をスタートしたという[16]。

---

(13) Mckinsey Global Institute（2017）"China's Digital Economy: A Leading Global Force"。BATJ による VC 投資の巨額になるのは、リスクマネーの多様性の意味でマイナスの側面もある。

(14) 大企業"双創"―歴史的啓示、当下的需要（http://finance.qq.com/original/caijingzhiku/zglhrhfwlm.html）

(15) https://www.leiphone.com/news/201501/Dszd29pQN1BktLlq.html

　BATJ にとどまらず、その他の成功したベンチャー企業も、新たな創業支援を積極的に行っている。

　例えば、華為（ファーウェイ）は、2015 年 10 月に「Development Enabler Plan」を発表し、オープン・イノベーションを行うプラットフォームの構築や、3 年で 1 万人のクラウド技術者を育成し、第三者の開発者の育成を含む支援に 5 年間で 10 億ドル規模の投資を行うと宣言した[17]。計画には、イノベーションファンドの設立や、実験設備、テストツールの提供も含まれた。1 年後、計画の実施によって華為（ファーウェイ）の登録開発者は 2000 名から 2 万 5000 名と 12 倍あまりになった。2020 年にはさらに、100 万名を目指しているという[18]。

グローバルなイノベーションの拠点として台頭する深圳の実態

　アメリカ内にシリコンバレー、ニューヨーク、ボストン、シアトルなどのイノベーションのさかんな都市が点在しているように、中国でも北京、上海、深圳、杭州など、代表的なベンチャー活動が活発な都市が点在している。とくに、日本のメディアで「赤いシリコンバレー」と呼ばれている深圳では、2018 年に GDP が香港を超えた。深圳は堅調な経済成長を遂げ、イノベーション活動も民間資本中心で活発になっている。近年、筆者はたびたび、深圳への現地調査を行い、創業・創新の実態を解明しようとしてきた。

　深圳のイノベーションは民間資本主導で行われている。このことは、いくつかの統計データから証明されている。深圳市のイノベーション所管部門によると、深圳市のイノベーション活動において、① 90％以上のイノベーション型企業は地場企業である。② 90％以上の研究開発機構は企業で設立されている。③ 90％以上の研究開発要員が企業にある。④ 90％以上の研究開発投入が企業からの支出である。⑤ 73％前後の発明特許は民間ベンチャー企業からもたらされている。このような実態が判明しているという[19]。

---

(16)　http://news.cnstock.com/news,bwkx-201711-4149598.htm

(17)　http://www.huawei.com/cn/news/2015/10/huaweikaifazhedahui

(18)　http://cloud.51cto.com/art/201609/517036.htm

(19)　深圳市科創委に対する筆者のヒアリング調査（2019 年 12 月 26 日）。

2019 年 9 月末現在、深圳には中小企業（民間）が 197.1 万社存在している。これらの中小企業は、必ずしも技術やビジネスモデルのイノベーションを背景にしたシリコンバレーモデルのベンチャー企業とは限らない。しかし、2018 年末現在、中国の国レベルで認定されたハイテク企業数（大部分はベンチャー企業）は 1.44 万社存在し、深圳は北京の 2.5 万社には及ばないが、広州の 1.1 万社、上海の 9206 社、杭州の 3919 社を上回っており、技術志向のベンチャー活動が活発になっている。前述したように、知財を創出する技術開発活動がベンチャー活動を通じて産業化・商品化することがシリコンバレーのモデルである。深圳のイノベーション活動はこのモデルを実践するものであるといえよう。

　過去、深圳では、大学や研究所の研究開発の比率が低いため、基礎研究力の不足から、イノベーションの持続性に対する懸念があった。課題克服すべく、近年では、大学や研究所の誘致に努力している。現在、深圳には、深圳大学、南方科学技術大学、深圳技術大学の 3 大学があるが、ハルピン大学、香港中文大学、中山大学、中国科学技術大学も深圳での学部生の教育を開始した。また、清華大学などは、深圳市と 50％ずつの出資により、深圳にて、大学院生の教育を行っている。また、深圳市政府の認定した研究機関は 13 カ所であるが、これに加えて、自主的に設置されている研究機関（主に大学による）は数十カ所あるという。これらの研究機関は、大学で開発された技術の産業化・製品化を実装につなげるものが多い。例えば、深圳清華大学研究院では、すでに数百社の企業がふ化され、そのなかには上場企業も多いという。さらに、深圳では、9 名のノーベル賞受賞者のためのラボが存在する。ちなみに、発光ダイオードのノーベル受賞者である中村修二先生の名を冠した実験室も存在している。また、2018 年末現在、世界のトップレベルの科学者 41 人が深圳でフルタイムで活動しているという話も聞いた。

　しかし、シリコンバレーモデルでいうスケールアップの意味では、深圳のユニコーン数は 18 社であり、北京の 82 社、上海の 47 社にははるかに及ばず、杭州の 19 社にも負けている[20]。これは、深圳はハード中心の事業構造で、市場評価の金額を市場によって膨らませにくい側面があり、その他の都市は

ネット企業などが多く、市場で評価されやすいからだといわれている。深圳市政府としては、評価額よりも、ニッチ市場／産業におけるリーディング企業の育成を重視している。その一方で、スケールアップ政策としてユニコーン企業育成の政策も推進している[21]。

2019 年から毎年 1 ～ 3 社の新規ユニコーンを育成して、2022 年にユニコーン企業総数 30 社、評価額 3 億ドル以上の準ユニコーン企業 50 社、評価額 1 億ドル以上の潜在ユニコーン 100 社以上の実現を目指して、財政、人材、市場アクセル改善など数多くのサポート政策が展開されている。

3．AIoT 時代における中国のイノベーションの循環性と優位性

中国の新たなイノベーションシステムは試行錯誤の段階にある。人材の豊富さに加えて、シリコンバレーに負けないほどのハングリー精神が溢れ出てきている環境の下で、次の成長の源泉が生まれつつある。また、これらの草の根のイノベーション活動で失敗例は多いだろうが、一部は成功してメガベンチャー、ユニコーンになり、各分野でのユニークな存在となる。うち、ごく少数は、BAT のように巨大新興企業となり、経済成長の新たな主エンジンとなる。

新経済における循環するイノベーションの形成

以上でみてきたように、深圳では、成功した巨大新興企業や上位ユニコーンが新規ベンチャーや起業家を引き付ける魅力的な存在となり、また新たな草の根のイノベーションムーブメントをサポートする社会的インフラとして機能しはじめている。そして、新たなユニコーンを育成・捕獲して自社の経済圏あるいはエコシステムを形成しようとしている。図表 3-7 が示すように、

---

(20)　Hurun Global Unicorn List 2019　https://www.hurun.net/CN/Article/Details?num=E7190250C866

(21)　《深圳市培育独角獣企业行动方案》（深圳市のユニコーン企業育成行動プラン）http://www.sohu.com/a/239279802_100014682

図表 3-7　新経済における創新駆動発展の循環
出所：筆者作成

一つの自己完結的な循環が生まれている。

　AI. IoT 時代において、このようなベンチャー活動が活発になり、数多くのユニコーンが生まれた背景として、いくつかの中国特有の優位性がある。中国には人口大国としての優位性もあれば、制度的・政策的な優位性も存在する。以下、五つの優位性について説明する。

突出するデジタル市場とハングリー精神が溢れる豊富なミドル人材

　第一に、市場の優位性が挙げられる。中国消費者平均でみた 1 人当たり購買力（消費支出額）は日本の 3 割程度だが、もともと人口が多い点に加えて、情報通信技術の発達により広範囲な市場・大きな購買力がネットによって形成されるようになった。とくに、デジタルネイティブ（小さな頃からインターネットやパソコンがある環境で育った世代）の割合が約 40％（アメリカは約 26％、EU は 31％）と高く、電子商取引のようなデジタル技術を生かした市場は急成長しやすい[22]。企業の立場からみれば、購買力の集積効果によってビジネスの収益均衡点が早く達成される。

　第二に、人材の優位性がある。ノーベル賞の受賞者が少ないことからもわかるように世界トップレベルの人材は少ないが、中間レベルの人材は非常に

---

　(22)　Mckinsey Global Institute（2017）"Digital China: powering the Economy to Global Competitiveness"

豊富である。OECD の統計によると、2015 年に中国の理工系の研究者は約162 万人で、アメリカの約 135 万人、日本の 66 万人を超え、EU28 カ国全体の約 180 万人に匹敵する[23]。また、毎年の理工系卒業者数（4 年制大卒）は170 万人以上で、理工系大学院修了者（修士・博士）も三十数万人いる。ちなみに、日本は毎年十数万人しか出ていないので、日中間の差は大きい。伝統的な産業におけるこれらの人材層は薄いが、デジタルネイティブとしてニューエコノミー分野では、人材の質においてもハングリー精神においても日米欧等先進国と大差がないことが、現場の調査を通じて実感される。ネット経済を中心とするニューエコノミーにおいては起業コストが大幅に低減されたので、起業家が生まれやすい環境にあると考えられる。

多様化する資金調達ルート、オープンソースの流れに乗った活用方式

　第三に、多様な資金の優位性がある。これまで中国の金融ビジネスは国有金融大手が独占していたので、ベンチャー企業等に供給するリスクマネーも不足していた。しかし、近年では民間資本の蓄積が進み、いわゆるシード／エンジェルファンド、それに VC、PE、銀行融資などのさまざまな経路を通じて大量の資金が新産業になだれこんできている。日本とは異なって中国では、富裕層や起業に成功した人々の年齢が比較的に若く、エンジェル投資家として初期段階の投資に力を入れることが多い。また、中国では、個人向けのフィンテックが発達しており、シリコンバレーとのネットワークも充実し、とくにスタートアップや中小ビジネスの成長には渡りに船となる。

　日本では、ベンチャー活動の促進にシード／エンジェルのようなリスクマネーが必要であることは認識され、公的・私的を問わず、リスクマネーの充実に取り組んできている。しかし、ベンチャーの成長、いわゆるスケールアップに必要なシリーズB、シリーズC、PE などのファンド[24]、あるいは、シ

---

(23)　OECD（2016）"Main Science and Technology Indicators" Vol 2016/2

(24)　一般的にベンチャー企業の設立から成長プロセスを創業期、事業化期、成長初期、成長後期に分けられるが、これに対応する資金調達もシードランド／エンジェルランド、シリーズ A、シリーズ B/C、シリーズ C/PE と分類される。

リコンバレー銀行[25]のようなベンチャー向けの融資制度が欠けており、有力なベンチャーはユニコーンまで成長するのが難しいと考える。一方、中国ユニコーンの急増は、ベンチャー成長に必要な中国リスクマネーの充実も一つの追い風となっているといえる。

第四に、ネット時代における技術のオープンソース化やプラットフォーム経営が進んでいる。日本・ドイツなどに比べて既存技術の蓄積が浅く、「過去のレガシー」を守る必要もない中国社会は、技術、製品・ソフトのオープン化意識が強く、ネットビジネスと相性があっている。とくに、オープンソース化の進展は開発コストの低下をもたらし、新規参入がしやすくなる。近年、中国でベンチャーブームが生じているのは、技術や部品、情報のオープン化に負っているところが大きいと考えられる。

新技術や新産業の活動に対する規制や社会の寛容さ

第五に、海外からの見方とは異なるが、中国政府のニューエコノミーに対する規制の寛容さもある。もともと、中国では、外資への資本規制はとられたものの、国内資本に対しては、政治的にセンシティブな分野を除いて、経済的な規制は行ってこなかった。一方、政策的な支援やインセンティブも与えないまま、「自由放任」の状態にあった。近年になって、経済成長の新たな原動力を模索する中国政府は、規制の隙間をくぐり抜けて強い成長力をみせているネット経済を中心とするニューエコノミーの可能性に、政策のプライオリティを置いている。中国政府は、政治的なセンシティビティに注意しながら、ネット企業の活力を活用する方向に転換し、「先放後管」（先に自由放任、後でルール化）、「包容審慎」（寛容で慎重：accommodating and prudent）という規制方針をとっている。「包容審慎」規制原則の下で「電子

---

(25) SVB Financial Group の子会社であるシリコンバレー銀行（Silicon Valley Bank）は、アメリカを拠点とするハイテク商業銀行である。当銀行は3万を超える成長後期の新興企業の資金調達を支援してきた。中国はシリコンバレー銀行の仕組みを導入しようとして、上海浦東発展銀行（Shanghai Pudong Development Bank）は米シリコンバレー銀行と、中国初のテックバンクである「浦東シリコンバレーバンク」（SPD Silicon Valley Bank、SSVB）を設立した。

商取引、電子決済、シェア自転車等は急速な発展を遂げた」と、李克強首相も自慢するほどである[26]。

　ほかにも、新技術に群れやすく、リスクよりも効用重視という中国人の国民性があるように思われる。例えば、ネット決済にはリスクがあるにもかかわらず、スマホ決済を好んで行うことはいうまでもなく、「自動運転」に対する国民の態度に関して、中国の消費者は欧米より積極的であるという調査結果がある。海外では、道路や公共の場所に据え付けた監視カメラによるデータ収集や画像認識による交通管理、違法性チェックや犯罪予防などは、国民の監視やプライバシーの侵害であるという批判もあるが、現地訪問を通じた感触では、中国市民の大多数はむしろ賛成か、少なくとも気にしない態度をとっている。このような社会的寛容さはむしろデジタル技術を活用したベンチャー活動を活発化させている側面もあることに留意すべきであろう。

4．中国におけるイノベーション活力の持続性の課題

　このように、中国におけるニューエコノミーが日欧より早く台頭し、アメリカと並んで世界の先頭に立つことができたのは、前述した五つの優位性があったからである。かつ、中国のニューエコノミーは国内人口 14 億人市場で、自己完結的に成長していく可能性が出てきている。しかしながら、イノベーションの循環メカニズムが市場の力によって完成するまでには、いくつかのさらなる挑戦が必要になる。

リアル産業とデジタル産業とのアンバランス

　第一に、日米欧のリアル産業（バーチャルなネット産業と対比する既存産業、一般的にはオールド産業ともいう）と比べ、中国のリアル産業（オールド産業、Old China）の革新力は弱く、デジタル化にも立ち遅れている。前述したように、中国は、ネット分野のようなニューエコノミー分野（New

---

（26）　2017 年夏季ダボスフォーラムの開幕式における李克強首相の演説。
　　　　http://www.gov.cn/xinwen/2017-06/28/content_5206164.htm

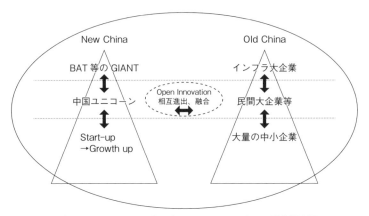

図表3-8 ニューエコノミーとオールドエコノミーの融合概念図

出所：筆者作成

China）では先進諸国に引けを取らないと評価できるが、リアル産業では大きく後塵を拝している。図表3-8が示すように、中国のニューエコノミーの成長力がリアル産業と融合し、リアル産業が収益性や革新力に富む産業として生まれ変われるのかは課題として残されている。

　もっとも、中国では、スマホ決済による既存金融サービス（銀行業、保険業、資産運用など）の変革、フィンテックを活用した電車、バスなどの交通インフラのスマート化、シェア自転車サービスの勃興による既存自転車産業の変革、IoTやAI技術による物流システムの進化、メディカルモールの創設など、ニューエコノミーサイドからオールドエコノミーへの「領空侵犯（良い意味での揺さぶり）」が生じるケースが数多くみられる。既存産業においても、家電メーカーのハイアールが社内部門をイノベーションユニットに分解して、HOPE（Haier Open Partnership Ecosystem）を構築するといった取り組みもみられる。だが、全体としては、デジタル化への対応で評価しうるような成功事例はまだ少なく、経過をみて判断する必要がある。

　このように、中国の創新駆動型経済成長への転換が成功するためには、ニューエコノミー分野（New China）に限らず、既存産業（Old China）を含んだ経済産業全体が革新的な体質に変化していく必要がある。これには進展

もみられるが、さまざまな困難も待ち受けている。

イノベーション活動への政府の「過剰」といえるほどの介入

　第二に、ニューエコノミーに関与し過ぎる産業政策の撤廃が必要である。筆者の研究が明らかにしたように、BATJなどのネット企業を中心とするデジタル産業の隆盛は、産業政策ではなく、ハングリー精神にあふれたベンチャー企業家が海外の技術やリスクマネーを取り入れ、ビジネスを通じて消費者のニーズを満たすことによって成長してきたのである[27]。しかし、近年中国で生じているベンチャーブームは、政府の政策支援や政府出資によるベンチャー資金の潤沢な供給に依存している側面が否めない。過度の政府資金の導入は、ベンチャービジネスにおいて市場リスクの判断を歪める可能性が高い。実際、太陽光パネル分野では、政府の過剰介入で生産過剰になってしまったという苦い経験がある。電気自動車分野でも、生産能力が市場ニーズを大幅に超えるという事態も生じている。シリコンバレーにおけるイノベーションの持続性は、市場メカニズムによって担保されていることを、中国は理解すべきである。

情報流通の過剰統制

　第三に、海外情報に対する過剰な統制問題があるのではないかと懸念する。筆者は政治学者ではないので、政治的にセンシティブな問題を議論する学識はもちあわせていない。しかし、海外情報のシャットアウトは、イノベーションに欠かせない知識や技術情報の伝播も阻害するおそれがあり、中国のイノベーションの活力が損なわれる可能性も高い。

　前述したように、シリコンバレーの成功経験は、自由闊達な思想文化や少数派・移民への寛容さがあってはじめて成し遂げられたのである。

　他方、日本経済も、低成長という「高所得国のワナ」の状態にはまっている。潜在成長率をいかに高めるかが、辛抱強く模索されている。既存産業で

（27）　金堅敏（2015）「中国のネットビジネス革新と課題」『FRI研究レポート』No. 420

革新力の強い日本の課題は中国とは異なり、ニューエコノミーの成長パターンを同一視することはできない。だが、産業界・消費者・規制当局は、リスクを恐れて低成長の現状に甘んずるのべきではない。ニューエコノミーにおける中国の実践を研究し、新技術や新経済への挑戦を後押しし、既存産業がデジタルトランスフォーメーションによって「ニューエコノミー」に生まれ変わることを、国全体で促進するべきではないかと筆者は考える。

主要参考文献

1．Arun Rao（2013）*A History of Silicon Valley: The Greatest Creation of Wealth in the History of the Planet*（中国語版）人民郵電出版社
2．金堅敏（2012）「高まる中国のイノベーション能力と残された課題」FRI 研究レポート　No. 387 https://www.fujitsu.com/downloads/JP/archive/imgjp/group/fri/report/research/2012/no387.pdf?_fsi=BavyYeIX&_fsi=BavyYeIX
3．金堅敏（2015）「中国のネットビジネス革新と課題」FRI 研究レポート No. 420　https://www.fujitsu.com/downloads/JP/archive/imgjp/group/fri/report/research/2015/no420.pdf
4．金堅敏（2018）「ニューエコノミーが成長の原動力に―ユニコーンの誕生、新たな経済圏形成」日本経済研究センター編集『中国　創造大国への道：ビジネス最前線に迫る』文眞堂
5．張光南など（2018）『粤港澳大湾区可持続発展指数報告』中国社会科学出版社
6．李青など（2018）『海外広東与対外開放新格局』社会科学文献出版社
7．前瞻産業研究院（2018）『2018 年中国独角獣企業研究報告』https://www.jrwenku.com/16740.html
8．呉煒峰など（2019）『BATH 経済学』中国鉄道出版社有限公司

第**4**章 中国のスタートアップ政策と
日本への政策提言

梅澤高明

1．中国のスタートアップ政策

　中国は、アメリカと並んで最もダイナミックなスタートアップ生態系を実現し、世界のイノベーションを牽引している。CBインサイツ（2019年12月）によると、世界のユニコーンは430社。うち中国は101社を擁し、212社のアメリカに次いで2位。企業価値上位10社には中国から4社がランクインしているが、トップ2を占めるのはバイトダンス、滴滴出行（DiDi）の中国企業である[1]。

中国のイノベーション政策の系譜

　2000年代までの中国経済の発展は、政府主導の産業政策により、国有企業中心の体制で牽引するものだった。「市場換技術」（市場と技術との交換）という戦略のもとで、海外からの技術導入と模倣に依存して「世界の工場」として発展してきた。

　このモデルの限界を認識した政府は、2006年に「自主創新」政策を打ち出す。「中進国の罠」に陥ることを避けて経済を高度化するために、世界最高レベルの科学技術力を獲得し、ビジネスモデルの自主開発を行うイノベーション型国家の実現を目指すものだ。

　この延長線上で、2013年に登場した習近平指導部は、二つの経済産業政策を打ち出した。その一つが「中国製造2025」、すなわち製造業を中心とする

---

[1]　CB Insights　https://www.cbinsights.com/research-unicorn-companies

図表 4-1 「中国製造 2025」の重点 10 分野

1）次世代情報技術
2）ハイエンド NC 工作機械およびロボット
3）航空宇宙関連設備
4）海洋プロジェクト用設備およびハイテク船舶
5）先進的軌道交通設備
6）省エネ・新エネルギー自動車
7）電力設備
8）新素材
9）バイオ医薬および高性能医療機器
10）農業機械設備

既存産業のバージョンアップ。そしてもう一つが「大衆創業・万衆創新」という創業促進によるイノベーション活性化だ[2]。

「中国製造 2025」（2015 年発表）の目的は「製造大国」から「製造強国」への転換だ。デジタル化、スマート化、ネットワーク化により高度化した製造業をつくる、計画的な技術主導型のイノベーション政策だ。25 年までに製造強国入りを果たし、2049 年には製造強国のトップクラスに到達することを目標とする。情報技術、工作機械・ロボット、航空宇宙など重点 10 分野を定め、基本方針にも「創新駆動」（イノベーションをエンジンに）が掲げられている[3]。

「大衆創業・万衆創新」（双創）は「大衆による創業、万人によるイノベーション」、すなわち創発的な市場主導型イノベーションを促す政策だ。2014 年の世界経済フォーラム・サマーダボス会議で李克強首相が提唱し、中国のスタートアップシーンが活気づくきっかけとなった。

その翌年には「互聯網＋」（インターネットプラス計画）が発表される。モバイルインターネット・ビッグデータの応用、現代製造業との結合（IoT 化）、電子商取引・インターネット金融の発展、IT 企業による国際市場の開拓などが重点方針として打ち出された。さらに政府は近年、シェアリングエコノミーの潜在力にも注目し、新たな経済エンジンとして発展を後押ししている。

とくに「大衆創業・万衆創新」は時宜を得た政策だった。重厚長大産業と不動産投資に牽引された経済発展が限界を迎え、2010 年代には GDP 成長率もじりじりと低下していた。長年の課題であるゾンビ国有企業の整理を進め

（2） 孟健軍（2016）「中国におけるイノベーションの新展開」https://www.rieti.go.jp/jp/columns/a01_0457.html
（3） 日経ビジネス『世界を戦慄させるチャイノベーション』日経 BP、2019 年、p.16

ると同時に、その従業員たちに新たな就業機会をつくる必要もある。一方で、消費者の購買力は厚みを増し、より洗練された消費財・サービスへの潜在ニーズは旺盛であった[4]。

そのタイミングでスマートフォンが普及し、Alipay や WeChat Pay によるキャッシュレス化が爆発的に浸透。本人認証と決済のプラットフォームが確立されたことが、多様なサービスイノベーションの機会を提供した。草の根のイノベーションを後押しする「大衆創業・万衆創新」政策

図表 4-2　「大衆創業、万衆創新」推進の政策・取り組み

施策 1　創業環境強化、創業の便利化
- ▶　①自由公平競争市場環境
- ▶　②法人登記便利化
- ▶　③創業知財保護強化
- ▶　④創業人材の育成と人材流動の活性化

施策 2　財政税制優遇政策による創業支援
- ▶　⑤財政税制の資金投入強化
- ▶　⑥創業税制面の優遇施策
- ▶　⑦創業企業に対する政府調達機能強化

施策 3　金融市場の活性化による融資簡略化
- ▶　⑧資金調達市場の活性化
- ▶　⑨銀行の創業支援対応
- ▶　⑩融資ルートの拡大化

施策 4　創業投資の拡大、創業の加速化
- ▶　⑪創業企業への投資取り入れの体制強化
- ▶　⑫創業企業への投資資金ルート拡大
- ▶　⑬国有資本の創業企業への強化
- ▶　⑭ベンチャーキャピタルの海外よりの取り入れと海外進出戦略

出所：ジェトロ上海事務所『『大衆創業、万衆創新を積極的に推進する若干の政策・取組に関する意見』国発〔2015〕32 号の概要説明』2018 年 3 月

の結果、開業率は 2000 年代の 10% 台後半から 2015 年には 25% に上昇している。

ちなみに 2016 年の新規設立登記の企業数をみると、深圳 38.7 万社、上海 29.5 万社、東京 3.8 万社である[5]。

中国のスタートアップ生態系と政府の役割

中国におけるスタートアップの活況は、巨大な国内市場のポテンシャルと優良な起業環境のなかで、激烈な競争と市場での無数の実験が生み出した成

（4）　金堅敏（2015）「変化する中国のイノベーション活動──政府主導から大衆創新へ」https://www.fujitsu.com/jp/group/fri/report/newsletter/2015/no15-015.html

（5）　川嶋一郎・板谷美帆・鄭源・袁順潔「勃興する中国新興起業（上）」『知的資産創造』2019 年 7 月　https://www.nri.com/jp/knowledge/publication/cc/chitekishisan/lst/2019/07/06

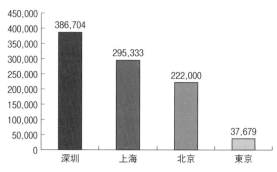

図表 4-3　新規設立登記企業数（2016 年）

出所：川嶋・板谷・鄭・袁「勃興する中国新興起業（上）」『知的資産創造』2019 年 7 月

果といえる。政府や有力大学による包括的な施策の積み重ねもその成功に大きく貢献している。①人材供給、②研究開発、③起業家教育、④資金供給、⑤規制、⑥大手 IT 企業の支援といったポイントを概観したい。

①人材供給

2010 年に発表された「国家中長期人材発展計画綱要（2010-2020 年）」は、産学連携によるイノベーション人材の強化を目指し、研究開発人材 380 万人の目標を掲げた。

中国は大学の学部生を突出して増やしており、2000 年の 400 万人から 2014 年には 2550 万人と 6.2 倍に増加し、インドに次ぐ 2 位。同時期に他の先進国は 1 ～ 2 倍の伸びであった。学生数でアメリカ（1750 万人）を凌駕するだけでなく、理工系学生の比率（50％）でもアメリカ・日本・ドイツ・韓国などを上回っている。

アメリカへの留学生数では、中国は断トツの世界一。2015/16 年の在米留学生は 33 万人で、その 4 割以上が STEM（科学・技術・工学・数学）専攻である。近年、中国は留学生の帰国促進政策をとっており、帰国率は 2000 年代半ばの 2 割から 8 割以上に急増している[6]。

帰国した海外留学組、通称「海亀」は 2015 年には 40 万人に上るが、彼ら

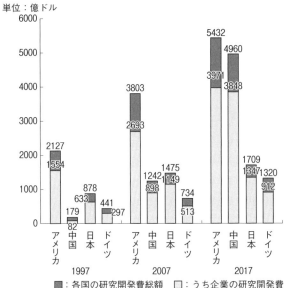

図表4-4　主要国の研究開発費の推移
出所：経済産業省「日本の産業部門の技術開発を巡る状況」2019年10月

が起業家を輩出する重要な供給源となっている。帰国者にとって大きな魅力となっているのは、市場ポテンシャルに加えて潤沢な政府の支援策だ。例えば深圳市は、起業家1人当たり2300万円の支援金を提供する仕組みを持つ[7]。

　海外の高度人材の招致にも積極的だ。2008年に「海外ハイレベル人材招致千人計画」を開始。海外の有名大学・研究機関の教授、グローバル企業の専門技術人材・経営管理人材、起業家などを対象に、戸籍・ビザ、資金支援、住居、医療、子女教育などの支援を行っている。政策開始からすでに8000人あまりが招致されている[8]。

（6）　経済産業省『通商白書2018』第Ⅱ部第3章第2節　https://www.meti.go.jp/report/tsuhaku2018/2018honbun/i2320000.html

（7）　深圳清華大学研究院インタビュー

（8）　川嶋一郎・板谷美帆・鄭源・袁順潔「勃興する中国新興起業（上）」『知的資産創造』2019年7月

②研究開発

　政府の科学技術予算（PPP ベース）では中国は世界トップで、2016 年に22.4 兆円を計上。対してアメリカは 14.9 兆円、ドイツが 3.7 兆円、日本が3.5 兆円（2017 年）である[9]。

　中国の研究開発費も 2000 年以降に急速に増加し、2017 年に 4960 億ドル（PPP ベース）。2009 年に日本、2015 年に EU28 を上回り、アメリカに次ぐ世界 2 位の研究開発大国である。2007 年から 2017 年までの 10 年間の成長率は 299％で、アメリカ（43％）、ドイツ（80％）、日本（16％）を大きく上回る[10]。

　国際特許の出願数でも、中国は 2017 年に日本を抜き、アメリカに次ぐ 2 位。国際特許公開件数でみるとデジタル通信、コンピューターテクノロジーが過半を占める。とくに IT 関連ではアメリカと並ぶ、あるいは凌駕する分野が存在する。また中国人研究者による学術論文も年々増加しており、論文数トップのアメリカを急追している[11]。

③起業家教育と創業支援の場づくり

　中国では 80 年代後半より、清華大学、北京大学などの有力大学が、PC・ソフトウェアなどのハイテク企業を生み出す母体となってきた。2000 年代に入ると「科技園」（サイエンスパーク）の運営に乗り出す大学が増え、インキュベーション施設での起業家教育、シード・アーリー投資、人材・市場開拓における支援などさまざまなメニューを提供するようになった。例えば、深圳清華大学研究院（RITS）傘下の Shenzhen Leaguer Venture Investment は、中国で最も早く設立された VC の一つだが、450 億円の資金を運用し 1 件 1 〜10 億円規模の投資を行っている[12]。

（9）　科学技術・学術政策研究所「科学技術指標 2018」https://www.nistep.go.jp/sti_indicator/2018/RM274_00.html

（10）　経済産業省「日本の産業部門の技術開発を巡る状況」2019 年 10 月　https://www.meti.go.jp/shingikai/sankoshin/sangyo_gijutsu/kenkyu_innovation/pdf/014_05_00.pdf

（11）　経済産業省『通商白書 2018』第Ⅱ部第 3 章第 2 節

（12）　深圳清華大学研究院インタビュー

　とくに「大衆創業・万衆創新」の方針以降は、「衆創空間」と呼ばれるコワーキングスペースやインキュベータの開設が全国で進められた。2017 年までに、インキュベータが 4000 カ所、メイカースペースが 5700 カ所設立されている。衆創空間には①「双創モデル基地」など政府主導型、②有力大学が運営する大学・研究機関型、③ Plug and Play や HAX などの民間専業企業型、そして④アリババやテンセントなどがアクセラレータープログラムを運営する大手 IT 企業型が存在する[13]。

　双創モデル基地では、ベンチャー投資促進の税優遇（個人に付与される株式インセンティブの税優遇、ベンチャー投資を行う法人への法人税軽減など）や土地・新規企業登録の簡易化といった優遇措置が提供されている。

④資金供給

　近年の中国のベンチャー投資額はアメリカに次いで世界 2 位。Preqin の分析では、とくに好調だった 2018 年は、アメリカの 1110 億ドルに対して中国は 1050 億ドルと肩を並べる水準だ。米中貿易戦争の影響で 2019 年の投資額は急減したが、それでも 350 億ドル（出典：Crunchbase）と日本の 10 倍以上の規模感だ。

　中国のベンチャー投資の第一の特徴は、ベンチャーキャピタルと並んでスタートアップ出身の上場企業による資金供給額が大きいこと。DI/Legend Capital による 2014〜16 年のベンチャー投資分析では、VC の投資額が 3.5〜5.1 兆円に対して、BAT（バイドゥ、アリババ、テンセント）は 3 社合計で年 3 兆円レベルを投資。アメリカでのグーグル、アマゾン、フェイスブックの投資額合計（年 1.2 兆円）よりも大きい。とくにアリババとテンセントには、有望な投資対象を早期に発見できることに加えて、強い顧客基盤をもつサービス事業の買収において、通常のバリュエーションを大きく上回る値付けができる強みがある[14]。買収した事業の顧客基盤が自社の決済事業の成長に貢献すれば、事業単体での投資回収が不可能でも十分なメリットを享受でき

---

(13)　川嶋一郎・板谷美帆・鄭源・袁順潔「勃興する中国新興起業（上）」『知的資産創造』2019 年 7 月

るからだ。

　第二の特徴は、内資・海外の 2000 社以上の VC が入り乱れる市場において、政府部門の役割が大きいことだ。中国 VC の資金源の 2016 年実績をみると、政府・国有企業が 35.5％と最大で、民間機関投資家 14.4％、個人 12.0％、混合所有企業 5.2％と続く。例えば地方政府が親ファンドを創設し、親ファンド経由で産業専門ファンドに LP（有限責任の組合員）として出資。これを呼び水として国有企業や民間企業からも出資を得るというパターンがみられる[15]。

⑤規　制

　中国の規制環境は、スタートアップに寛容である。第一の要因は、新しい事業アイデアについて、当初は放任して市場での実験を自由に行わせたうえで、実際に問題が起きた時点ではじめて規制を検討するという行政当局の姿勢だ。

　例えば ofo（創業 2014 年）やモバイク（同 2015 年）が提供する乗り捨て自由のバイクシェアサービスは、交通法規の規制が緩いこともあり爆発的に普及した。子供の利用者による死亡事故や街なかの放置自転車が社会問題化し、これらを規制するガイドラインが導入されたのは 2017 年だった[16]。配車アプリに至っては、Uber のコピーキャットが最初に生まれたのが 2011 年。規制が導入されたのは、有力プレイヤーが滴滴出行 1 社に絞られた 2016 年になってからだ[17]。

（14）　板谷俊輔・小川貴史・朴焌成「最前線レポート──中国ベンチャー市場の全貌（第 7回）10 兆円に迫る中国ベンチャー投資、資金はどこから？」『Business Produce Journal』2017 年 7 月　https://www.dreamincubator.co.jp/bpj/2017/07/21/

（15）　藤代康一「中国スタートアップ勃興の背景」三井物産戦略研究所、2018 年 2 月

（16）　Glotechtrends「中国シェア自転車ビジネスの問題点　改善のため中国政府がガイドラインを発表。シェア自転車｜中国」2017 年 8 月　https://glotechtrends.com/sharing-bicycle-problem-170812/

（17）　板谷俊輔・小川貴史・朴焌成「最前線レポート──中国ベンチャー市場の全貌（第 9回）まずは政府に規制されるまで突っ走る中国ベンチャー」『Business Produce Journal』2017 年 8 月　https://www.dreamincubator.co.jp/bpj/2017/08/11/

　もう一つの要因は、個人情報の収集・利用に関する観念が欧米・日本に比べて寛容であること。アリババの関連会社で Alipay を運営する、アントフィナンシャル社の「芝麻信用」が広く普及しているのが一例だ。このサービスは、アリババの EC 事業における購買履歴、Alipay 決済データによる信用履歴、人脈情報、属性情報などを組み合せて個人の信用力を点数化するもの。信用力に応じて、アリババ系列のスマホアプリを通じて提供されるローン、保険、広告などさまざまなサービスで差別化されたメリットが提示される仕組みだ。

　政府も、ビッグデータ活用によるイノベーション推進に加えて、国民の行動を監視し治安と政治的安定を守る観点からも、個人情報の収集・利用に極めて積極的であることはいうまでもない。

⑥大手 IT 企業による支援

　「互聯網＋」（インターネットプラス計画）では、大手 IT 企業によるスタートアップ支援も掲げられている。具体的には、大手のインターネット企業や通信企業が、自社プラットフォームへの中小零細企業・ベンチャー企業による接続を認め、データ、計算能力などの資源を開放することを呼びかけている。

　例えばテンセントは、WeChat（インスタントメッセンジャー）や WeChat Pay（モバイル決済サービス）などのビジネスインフラを外部企業に開放。その結果、滴滴出行（Didi）をはじめとする多くのベンチャー企業がこのプラットフォームを借りて発展していく[18]。

2．スタートアップ支援の意義と日本の現状

　本章では、日本におけるスタートアップ支援の現状と課題について分析する。前提条件として、起業の意義について最初に再整理しておこう。

（18）　李智慧『チャイナ・イノベーション──データを制する者は世界を制する』日経 BP、2018 年、p. 28

例えば中小企業白書（2011年）は、起業の意義として下記3点を挙げている[19]。

　(1) 経済の新陳代謝と新規企業の高い成長力：企業の参入・撤退こそが、産業構造の転換やイノベーション促進の原動力となる。とくに、新しい技術や製品等を携えて市場に参入する起業家は、急速に成長して既存の経済秩序を一変させ、経済成長のエンジンとなる可能性を秘めている。

　(2) 雇用の創出：2004～2006年に創出された雇用の約6割は開業事業所で創出されている。これは、情報通信業や医療、福祉など開業率の高い業種だけでなく、小売業や飲食店、宿泊業といった業種においても同様の傾向である。

　(3) 起業が生み出す社会の多様性：起業は多様な生き方・働き方を可能にする。起業の動機・目的は、収入の向上のみならず、自己実現、裁量労働、社会貢献、専門的な技術・知識等の活用などさまざまである。とくに近年は、女性や高齢者が起業によって多様な生き方や働き方を実現するケースが増えている。

　海外でもとくに (1)(2) は、多数の研究を通じて確認されている。例えば(1) 起業の経済効果については、起業、イノベーション、経済成長の間に存在する正の循環構造が指摘されている。起業とイノベーションの活性化が経済成長率を高めると同時に、高い経済成長率はイノベーションと起業を誘発する、という関係である[20]。(2) 雇用の創出効果についても、アメリカでも同様の傾向が観察されている[21]。

　また、起業家は地域のコミュニティ形成においても、自社事業の範囲を超えてプロジェクトへの投資や慈善事業の支援を通じて、重要な役割を果たすケースが多い。

(19)　中小企業庁『中小企業白書 2011』第3部第1章 1-1　https://www.chusho.meti.go.jp/pamflet/hakusyo/h23/h23/html/k311200.html

(20)　Galindo M. Á. & Méndez M. T.（2014）"Entrepreneurship, Economic Growth, and Innovation: Are Feedback Effects at Work?", *Journal of Business Research*, 67 pp. 825-829.

(21)　Haltiwanger J., Jarmin R. S. & Miranda J.（2013）"Who Creates jobs? Small Versus Large Versus Young", *The Review of Economics and Statistics*, 95 pp. 347-361

日本のスタートアップ生態系の課題

　国内の起業環境は過去数年で大きく改善した。しかし、アメリカ・中国・インド・イギリスなどベンチャー先進国に比べると依然として大きく見劣りしている[22]。

- 開業率：2000 年代の 4 ％台から 2017 年には 5.6 ％に向上。対して中国 24.4 ％、アメリカ 10.2 ％（2015 年）、フランス 13.2 ％、イギリス 13.1 ％（2017 年）
- ベンチャー投資額：2017 年に 2790 億円[23]。対してアメリカ 9 兆 5300 億円、中国 3 兆 3600 億円、欧州 8100 億円
- ユニコーン企業数：2019/12 時点で 3 社。対してアメリカ 212 社、中国 101 社、イギリス 22 社、インド 19 社、ドイツ 12 社、韓国 10 社

　国内市場規模が圧倒的に大きいアメリカ・中国に劣後するのはやむなしとしても、ユニコーン企業数でイギリス・ドイツ・韓国にも水をあけられていることからも、改善の余地は大きいといえる。資金、人材、拠点整備などさまざまな課題があるなかで、とくに下記 3 点を重点的に強化していく必要があると考える。

　第一に、イノベーションの主戦場が情報革命から第 4 次産業革命にシフトするなかで、成功要件の複雑化に対応すること。ネットで完結する情報革命の時代は、優れた事業アイデアをもつ起業家に投資が集まることで事業の急成長と市場支配が可能であった。第 4 次産業革命の時代には、ビッグデータを収集するハードウェア・センサーとソフトウェアの組み合わせが必要となり、データ収集やリアル世界での作動に関連するルール整備がより厳しくならざるをえない。技術や事業モデルの面では起業家、研究者、大企業といっ

---

(22)　内閣府「Beyond Limits. Unlock Our Potential.」2019 年 8 月　https://www8.cao.go.jp/cstp/openinnovation/ecosystem/siryo1.pdf

(23)　entrepedia「Japan Startup Finance 2017」2018 年 3 月　https://initial.inc/enterprise/report/jsf2017/

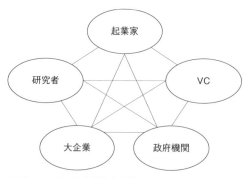

図表 4-5　第 4 次産業革命時代のイノベーション生態系

たプレイヤー間の連携がより重要となると同時に、ルールメイキングにおける政府や社会との対話・協働も不可欠となる。

　第二に、リアルテックを育成する生態系を構築すること。従来の日本のスタートアップシーンの主力は、国内の B2C 市場における
ネットサービス系企業であった。日本の産業構造を転換しイノベーション力を高めるうえで、基礎研究での優位性をもつライフサイエンス、ロボティクス、先端素材などリアルテック分野で大型のスタートアップを育成していくことが求められる。それぞれの技術分野に精通した投資プロフェッショナルの育成と、長期・大型のハイリスク投資に耐えられる投資家の資本力が不可欠となる。

　第三に、日本のイノベーション生態系を内側からグローバル化すること。日本への対内直接投資残高は、増加傾向にはあるが名目 GDP 比で 4.3%（2018 年）。イギリス 66.7%、アメリカ 36.4%、中国 12.0% と比べて依然として著しく低い。海外 VC による国内企業への投資も限定的で、資金面のみならず人材面でもスタートアップ生態系が国内に閉じている。世界市場で戦う大型スタートアップを増やす上で、人的ネットワークの国際化も不可欠だ。

3．スタートアップ政策の進化

　内閣府はスタートアップ政策の核として、2019 年に下記の戦略を打ち出した[24]。

　（24）　内閣府「Beyond Limits. Unlock Our Potential.」2019 年 8 月

「Beyond Limits. Unlock Our Potential. ～世界に伍するスタートアップ・エコシステム拠点形成戦略～」

戦略1　都市：世界と伍するスタートアップ・エコシステム拠点都市の形成

戦略2　大学：大学を中心としたエコシステム強化

戦略3　アクセラレータ：世界と伍するアクセラレーション・プログラムの提供

戦略4　Gap Fund：技術開発型スタートアップの資金調達等促進

戦略5　公共調達：政府・自治体がスタートアップの顧客となってチャレンジを推進

戦略6　繋がり形成：エコシステムの「繋がり」形成の強化、気運の醸成

戦略7　人材流動化：研究開発人材の流動化促進

　JST「大学発新産業創出プログラム」、NEDO「研究開発型ベンチャー支援事業」、経済産業省「J-Startup」など、過去数年の施策を補強する包括的取組みといえる。さらに 2020 年度税制改正大綱には、大企業による異業種ベンチャーの M&A を促進する優遇税制が織り込まれた。

スタートアップ政策にかかわる提案

　イノベーション政策やスタートアップ育成には、政府内の省庁横断で腰をすえた長期的取り組みが不可欠である。大きなビジョンの省庁間での共有、共通のビジョンに基づく各省の個別施策の立案と施策間の連携強化、それぞれの施策を持続的に推進できる長期的視点からの人事が期待される。

　内閣府が打ち出した戦略は、方向性としては正しい。ただし中央政府の予算制約が厳しく大きな財政支援が期待できないなかで、どれだけ政府の影響力を活かして大学や民間企業・投資家を巻き込み、打ち手の実効性を上げられるかが勝負となろう。

　そのうえでスタートアップ政策、あるいは関連するイノベーション政策に

ついて、とくに拡張・深掘りしたい項目を下記に提案する。

（1）領域特化のクラスター創造

　内閣府の上記戦略と連携する形で、領域特化の産業集積を創造する。狙いは、国内だけでなく海外からもキープレイヤーを誘致し、ワールドクラスの集積に育てることだ。

　スタートアップ育成で米・中・欧の背中を追う立場の日本には、既存の強みを活かした特化型戦略が必要だ。まず、日本に基礎研究の蓄積がある領域が最右翼の候補となる。重点テーマ・セクターの候補として、自動化（ロボティクス、自動物流、自動運転）、先端ライフサイエンス（再生医療、オミックス医療・ゲノム医療、AI 医療、医療機器）、先端素材などが挙げられる。

　当該分野の研究開発型企業（スタートアップ・大企業）、大学・研究機関、VC などを国内外から集め、基礎研究から事業化までをシームレスにつなぐエコシステムを創ることが鍵だ。

　例えばライフサイエンスの領域では「湘南ヘルスイノベーションパーク」（湘南 iPark）が研究開発型集積の実現を目指す事例だ。武田薬品が基礎研究所として建設した施設を開放型イノベーションラボに衣替えしたものだ。再生医療、希少疾患、認知症、未病を重点領域としてテナントを誘致しているが、開所 2 年で 60 社以上が入居する拠点に成長した。ライフサイエンスを含む上述の重点領域でこの様な本格的な取り組みが進み、国際的な存在感をもつ集積が生まれることを期待したい。

　産業クラスターとしては、リアルテック系に加えて、日本の文化的強みを活かせる領域も有力な候補となる。代表的な例が食分野だ。ミシュランガイドの 3 つ星レストランの数で世界一の東京、あるいは 3 位の京都・大阪は、世界の食文化のイノベーション中心地となりうる力をもつ。

（2）世界最先端の規制環境

　提案（1）の取り組みの実効性を増すためにも、当該分野に関する世界最先端の規制環境を構築したい。例えば、深刻な人手不足を受けて、物流のラ

ストワンマイルを担う自動走行ロボットに期待が集まるが、現行法制下では
そもそも自動走行ロボットの公道走行ができない。製品の安全性・信頼性を
高めるうえで不可欠な、公道での実証実験すら進んでいない状況だ。すでに
アメリカの多くの州やエストニアでは、自律走行型ロボットの歩道走行を認
める法規制が整備されている[25]。

　2014 年の改正薬事法により、再生医療分野で日本が世界最速のファスト
トラック制度をつくった実績もある。その結果、海外から日本へ再生医療の
研究開発拠点を移す企業が相次いだ[26]。このような先進的な規制環境を、全
国大の規制改革や地域限定の特区の枠組みを活用して、他の重点領域でも構
築したい。

（3）優遇税制による研究開発投資の後押し

　研究開発税制も大幅に拡充かつ簡素化したい。研究開発税制とは、企業の
研究開発費（試験研究費）に一定の割合（6 ～14％）を乗じた額を、法人税額
から控除できる仕組みだ。この制度の従来の主眼は、主に製造系の日本企業
に研究開発投資を促すことだった。これを、世界から研究開発型企業を集積
するためのツールに衣替えすべきだ。

　数次にわたる制度改定の結果、現状の枠組みは極めて複雑なものとなって
おり、海外への発信力にも欠ける。幹となる部分の控除限度額は法人税額の
25％（ベンチャーは 40％）だが、ベンチャー企業については上限額を撤廃す
ることはできないか。実際に、海外には限度額なしの国も複数存在する（フ
ランス、カナダ、韓国、オーストラリア）。

　また重点分野の研究開発投資については、中小企業向けに還付制度を設け
ている国もある（イギリス、フランス、カナダ、オーストラリア、シンガポ
ール）。この仕組みは、とくに課税所得を有しない新興企業による投資を促

(25)　経済産業省「自動走行ロボットの社会実装に向けて」2019 年 6 月　https://www.meti.
　　go.jp/shingikai/mono_info_service/jidosoko_robot/pdf/pre_001_04.pdf
(26)　G1 サミット 2019「iPS・再生医療で日本は世界をリードできるか？〜古川康×山田邦雄
　　×山中伸弥×平手晴彦」https://globis.jp/article/7009

進するうえで有効である。

　これらの優遇税制は、時限措置ではなく恒久化したい。とくに外資企業を誘致する上では、制度存続期間が不透明な施策ではなく、恒久的な枠組みにしたほうが強力なインセンティブとなるからだ。

(4) 起業家教育の高度化と普及

　大学・大学院における起業家教育を高度化したい。とくに重要なのが、研究者から起業にチャレンジする人材を生む理系大学における起業家教育と、企業で活躍する技術者のスピンオフを支援するプログラムだ。リアルテック企業を育成するうえで、各分野の先端技術の素養をもつ起業家と投資家の厚みが不可欠だからだ。

　デザイン教育を起業家教育に組み込むことも重要だ。技術シードを事業化につなげるには、ユーザー視点から製品・サービスを的確にデザインすることが欠かせない。これは消費者向け製品・サービスだけでなく、例えば医療機器や産業用ロボットなど B2B の分野にも当てはまる。アメリカでは技術者とデザイナーの組み合わせで起業するケースが増えているが、イノベーションにおけるデザイン視点の有効性を示すものといえよう。

　また中学・高校生に対する起業教育にも広く取り組みたい。実践してみる姿勢、失敗に対する寛容度、人を巻き込む力など、起業家的思考と行動を若いときに植え付ける効果は大きい。

(5) 大企業とスタートアップの人材交流

　大企業が産業のイノベーションで重要な役割を担うことを考えると、大企業の人材をいかにスタートアップ環境に参入させるかも重要課題だ。大企業の優秀人材がスタートアップに出向して創業・急成長期を経験し、自社に戻ったら新規事業立ち上げをリードする、などのキャリアパスが当たり前になることが望ましい。

　また副業解禁の流れを活かし、大企業の専門人材（知財、法務、デザインなど）が創業期のスタートアップにパートタイムで参画する形も浸透させた

い。スタートアップにとっては、これら機能の優秀人材をパートタイムで雇えるメリットは大きいし、兼業で参画する人材にとっての学習効果も期待できる。

このような出向・兼業を広く普及させるうえで、大企業とスタートアップ間の給与格差を埋める助成金や税制優遇のスキームを検討したい。

(6) 外国人起業家に対する支援

外国人起業家の積極誘致と支援を進めたい。上述のとおり、イノベーション生態系の内側からのグローバル化は、世界市場を開拓できるスタートアップを生み出すうえで不可欠だ。また、外国人居住者の増加で国内のさまざまなサービスに対する需要も多様化している。これに対応するためにも、外国人による起業の活性化が求められる。

経営管理ビザの審査基準の緩和、起業準備中の外国人に与えられるスタートアップビザの適用拡大が政府としての重要事項だが、オフィス賃貸、銀行口座の開設、融資の確保においても外国人や外国企業は困難に直面することが多い。これらの障壁を取り除く努力も政府・地方自治体に求めたい。

(7) 世界に開かれた都心型イノベーション集積

イノベーションの主戦場が第4次産業革命にシフトし、成功要件が複雑化するなかで、研究者、起業家、大企業、投資家、行政といったステークホルダー間の連携がより重要となった。その結果、世界各国のイノベーション中心地は、郊外のサイエンスパークから都心部の「イノベーション・ディストリクト」に移動した。米ボストン／ケンブリッジをはじめ、ロンドン、ベルリン、バルセロナなど海外主要都市の多くで都心型集積が発達している[27]。

東京・大阪など国内主要都市にも本格的な都心型集積が必要だ。日本では、産業のイノベーションにおける大企業の役割が大きく、大企業・スタートア

---

(27)　Bruce Katz and Julie Wagner (2014) "The Rise of Innovation Districts: A New Geography of Innovation in America" Brookings Institution　https://www.brookings.edu/essay/rise-of-innovation-districts/

ップ間の協業がアメリカ・イギリスに比しても重要な状況だからなおさらだ。さらに、これらの拠点が海外諸都市のイノベーションコミュニティとつながり、海外の起業家、投資家、政府機関などが日本のイノベーション生態系に接続する結節点として機能する状態が望ましい。

　スタートアップ政策全般、とくに拠点づくりにおいては地方自治体の役割はきわめて大きい。地域の強みや課題に立脚した集積をつくることが重要であることを考えれば当然だ。地方分権が進んだアメリカの例ではあるが、マサチューセッツ州はライフサイエンスやロボティクスの分野で、スタートアップ育成と産業成長に向けた専門部隊やプログラムを創設し、官民連携の取り組みを推進。スタートアップ向けのシェアオフィス／ラボ拠点 LabCentral（ライフサイエンス分野、ケンブリッジ市）や MassRobotics（ロボティクス分野、ボストン市）の設立にも資金提供を行っている。

ケンブリッジ・イノベーション・センター（CIC）

　筆者が日本法人の会長を務める米 CIC は、都心型集積モデルの発達を牽引した先駆者だ。マサチューセッツ州のケンブリッジ／ボストンで1999 年に創業した同社は、ボストン、フィラデルフィア、セントルイスなどアメリカ 6 都市、オランダ・ロッテルダム、およびポーランド・ワルシャワで都市中心部に大規模なキャンパス（シェアオフィス＋シェアラボ）を運営。

　これらのキャンパスにはスタートアップ、大企業の事業開発チーム、NPO、VC、行政機関などが入居し、イノベーションに特化した高密度の集積を形成。世界 8 都市の拠点に約 2000 の企業・団体が入居している。のちにグーグルに買収されたアンドロイド社をはじめとする数多くの企業の成功が CIC から生まれてきた。

　CIC には姉妹組織として "Venture Café" が併設され、イノベーションコミュニティ形成のために毎週木曜日にイベントを開催している。「ベンチャーカフェ東京」は 2018 年春にスタート、延べ 2 万人の参加者

を集めている（2020 年 7 月時点）。CIC の東京キャンパスは、2020 年秋に虎ノ門ヒルズビジネスタワーに開設。専有面積 6000 平方メートル超のファシリティで、初年度に 100 社のスタートアップの集積を目指す。スタートアップの成長加速、深圳を含む海外のイノベーション都市との接続、海外スタートアップの誘致、オープンイノベーションの活性化、行政との連携強化などに貢献したい。

「ベンチャーカフェ東京」のイベント風景

第5章 日中イノベーション交流プラットフォーム構築

第5章 日中イノベーション交流プラットフォーム構築

杉田定大

　筆者は、2018 年から 2019 年にかけて、深圳、北京、シリコンバレー、サンフランシスコと回った。そこで現地現物を視察してきたことを踏まえて、とくに、深圳と日本のイノベーション交流プラットフォーム構築、訪中団の深圳派遣までの経緯、および今後の展開についてについて述べたい。

1．いま、日本の産業に求められる課題

まずいま、わが国産業界に求められる課題は以下の 3 点であると考える。

1．VUCA（Volatility 変動、Uncertainty 不確実、Complexity 複雑、Ambiguity あいまい）の時代をよく認識しながらスピード感もって経営すること。
2．PDCA サイクルではなく OODA ループ（Observe 観察、Orient 状況判断、Decide 意思決定、Act 行動）実践の時代であり、OODA ループを速く回すことにより行動修正を素早く展開し競合相手としのぎあうこと。
3．デジタル・トランスフォーメーション（DX）が全産業（ヘルスケア、金融、農業、E-factory から自動車産業に至るまで）影響を与えることを認識すること

このような課題認識の下で、われわれの取り組むべき方途は以下と考える。

1．IOT　プラス　AI（製造工程の見える化＋自動化、徹底した製品デジタル化、サブスクリプションモデル化、新交通システムなど）
2．スタートアップ・エコシステムの拠点形成と拠点間交流の強化
3．製品や製造工程のデジタルトランスフォーメーション（DX）によるイノベーティブな生産性の改善、社会的価値と経済的利益の統合

　筆者は、日中イノベーション協力を通して、上記課題解決の礎（いしずえ）となるのではないかと考えている。以下、日中イノベーション協力のため、スタートアップ・ベンチャー交流ミッション派遣に至るまでの経緯を述べる。

2．日中イノベーション協力の経緯

日中イノベーション協力の経緯

　筆者は日中経済協会の専務理事として、以下の日中イノベーション協力のイベントの企画運営責任者としてリードしてきた。2018 年以降急速に協力を進むことになった経緯について説明する。

　まず、2018 年 5 月の李克強総理訪日時に、中国側から日中イノベーション協力の提案があった。日本側はイノベーション協力にあわせ、知財権の保護の強化の重要性も主張、結果基本合意書作成までは至らなかったが、日中間での今後の検討課題になった。

　同年 7 月、林念修国家発展改革委員会副主任来日時に中国側よりイノベーション協力分野などにつき具体的提案があった。同年 8 月、自動車急速充電システム CHADEMO の日中協力につき覚書が北京にて締結された。

　同年 10 月 12 日、自動運転に関する日中合同セミナーが東京で開催された。

　同年 10 月 24 日、第 6 回イノベーション・リーダーズサミットにおいて中国企業セッション開催された（中華総商会との共催）。

　同年 10 月の安倍晋三総理訪中時に日中イノベーション対話の基本合意書が締結された。

　2019 年 4 月、日中閣僚級の日中イノベーション対話が北京で開催された。

そこで日中が合同で国際標準規格制定、スマート製造など関連分野協力について議論し、以下のテーマにつき今後検討していくことになった。

　　検討課題：日中科学技術協力委員会が達成した共通認識のもと、ハイテク分野における協力を強化するものとする。
　　①国際標準の事例：EV の急速充電システム（CHADEMO）、水素関連技術（燃料電池車、水素インフラなど）
　　②スタートアップ・ベンチャー企業の交流
　　③スマートシティ協力
　　④知財分野の協力
　　⑤科学技術・教育分野の交流・協力

などがあげられている。

　2020 年 1 月現在、日中政府間でさらに、イノベーション協力や知財保護の強化の内容につき、引き続き協議している。
　以上の経緯のなかで、日中経済協会としては、スターアップベンチャー交流ミッションとして 2018 年 3 月深圳、2019 年 3 月杭州、同年 6 月北京市中関村と、過去 3 回にわたって中国に日本のスタートアップ企業を派遣し、ビジネスマッチングなどを行ってきている。

日中イノベーション協力アライアンスの三つのモデル
　ここで、あらためて、日中のイノベーション協力の基本的考え方およびアライアンスについて、以下の三つのモデルで説明する。

　① Model 1：Society 5.0 における日中イノベーション協力の展開
　　日中企業間で WIN WIN のアライアンスの構築展開（大企業、中堅中小ベンチャー・スタートアップ企業それぞれとのアライアンスの可能性を追求していく。具体的には、IoT、ビッグデータ、ロボット、インタ

ーネットビジネス、越境 EC、シェアリングビジネス、ドローン活用型
ビジネス、コネクテッドカー、バイオ、健康医療、高齢介護などの分野
においてのアライアンス)。

② Model 2：日中第三国市場協力の展開
　第三国における省エネ・環境協力の推進。日本企業と中国企業の互い
の強みを組み合わせることにより、地球規模の課題解決に、日中共同で
ソリューションを提供。
　ア）グリーン電源開発
　(例)・太陽光・風力発電の開発・運営
　　　・高効率ガス・石炭火力発電の開発・運営
　イ）「日中省エネ・環境フォーラム」での第三国協力への展開
　(例)・第三国協力のビジネスマッチングフォーラムの開催
第三国における産業高度化
　日中で協力して第三国における工業団地の建設や高度化、電力基盤の
高度化などを実施。
　ア）工業団地の高度化
　(例)　タイ東部経済回廊（EEC）における工業団地の共同開発やグリ
　　　　ーン化、デジタル化
　イ）電力基盤の高度化
　(例)・高効率ガス・石炭火力発電の開発・運営、日本が作成するマス
　　　　タープランに基づく電源整備
　ウ）産業高度化
　(例)・資源採掘設備リース事業、繊維プラントリハビリ事業
　アジア・欧州横断での物流利活用。中国 – 欧州を結ぶ鉄道網に関して、
中国に展開する日本の荷主・物流事業者等による活用のための制度改善
等を日中で協力して推進。
　(例)　・日本企業の中国における生産拠点から中央アジア、EU 方面へ
　　　　　の輸送。中国 – 欧州を結ぶ鉄道網を活用する事業化可能性調

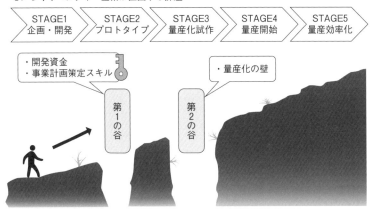

モノづくりベンチャー企業が直面する課題

図表5-1　日中間での量産試作と量産化をつなぐサプライチェーンネットワークの構築
出典：ダルマ牧野正俊社長作成

査を実施し、日中双方で、沿線での制度・環境整備を実施。

③ Model 3：日中間のグローバルサプライチェーンのなかでの国際分業

　日中間での量産試作と量産化をつなぐサプライチェーンネットワークの構築。モノづくりベンチャー企業が直面する課題として低コストで良質な量産試作の展開。この優位性をもつ日本の東京都大田区や京都の試作ネットワークと、広州・深圳の企業との連携を図り、例えば企画、設計、少量試作は中国または日本で行い、量産試作を日本の東京都大田区や京都で行い、その本格生産を中国で展開するといったモデルを考えたい。具体的には、図表5-1で示す。

　筆者は、中国企業と日本企業のそれぞれの強みについて以下の図表5-2のようにまとめる。

　また、筆者は、日中が今後協力できる分野として以下を推奨する。

・健康・医療・介護（ヘルスケア）

図表 5-2　中国企業と日本企業の強み

中国企業の強み	日本企業の強み
• 法制度などの不透明性はあるものの、柔軟な経済活動ができる環境があり、スピード経営もやりやすく、イノベーションも起こりやすいこと（事後規制） • 国内で、新しいビジネスモデルが起こしやすい（百度、アリババ、微信など）こと、さらに自国市場だけでなく海外市場への展開も早い。 • ニューエコノミーに代表される企業が成長しやすい環境（ベンチャー資金やリスクマネーの供給ではかなりアップグレード、シリコンバレーなどの文化を移植）	• 匠の精神、高度な摺合せ能力、リーンな経営 • 現場力 • 企業が成熟するなかで、いろいろな経験を経て、環境対応や社会的配慮への対応など急速に充実 • コーポレートガバナンスの充実も著しく、グローバルスタンダードにかなった、近代的な経営システムを構築 • 顧客、株主、従業員、地域住民など幅広いステークホルダーに対する対応姿勢 • 省エネ・環境、リサイクルなどの地球環境問題への取り組みが優れている • 事業継続性

出所：筆者作成

- 省エネルギー・環境リサイクル
- 新エネルギー自動車、コネクテッドカー（自動走行、AI、電動部品、新素材、バッテリー）
- FinTech（フィンテック）
- ブロックチェーン（農業分野のトレーサビリティ、公文書の改ざん防止、製造業のプロセスデータ保全、自動走行へのサイバー攻撃防止などの広範な分野の利用）
- インフラ関係（鉄道、新交通システム、電力・送配電、上下水道など）
- 食品加工・農商工連携（植物工場など）
- 観光
- コンテンツ（アニメ、映画、ゲーム、e スポーツなど）
- 事業継承や匠の技術

3．日中経済協会主催によるスタートアップ・ベンチャー起業家交流団

2019 年 3 月 4 日〜 8 日、日中経済協会は、産業革新機構、新エネルギー・

産業技術総合開発機構（NEDO）、日本商工会議所、京都試作ネット、深圳市駐日本経済貿易代表事務所の各企業・団体と連携して、中国深圳にスタートアップ・ベンチャー企業家、銀行・証券・メーカー・商社・VC など協会賛助会員企業（総勢 63 名）で構成される交流団を深圳に派遣した。

経　緯

　当深圳交流団派遣の経緯は、以下のとおりである。2018 年 7 月に、中国企業家倶楽部・緑公司連盟の訪日団を迎えて、「日中企業経営者イノベーション協力フォーラム」を京都で開催した。訪日団緑公司連盟のアドバイザーでパネリストであった許小年中欧国際工商学院教授（当時）が、日本の若い起業家のイノベーションへの取り組みに感心し、「ぜひ深圳や北京中関村でも、日中の若手起業家との交流機会をもつべきだ」と述べた。

　このような動きを受け、2018 年 11 月の日中経済協会合同訪中代表団において当協会の志賀俊之副会長（日産自動車元取締役、産業革新機構会長）を団長とした地方視察で広州・深圳を訪問した際に、翌年 2 〜 3 月ごろに若い起業家同士のイノベーション交流計画を提案したところ、深圳側より積極的な協力の約束を取り付けた。

　その実現にあたっては、産業革新機構からは有力スタートアップ企業の推薦、関係職員の方の参加をもらい、このほか、NEDO、さらには京都試作ネットなどにも参加スタートアップ企業の推薦を依頼した。今回訪中団の成果が得られたのもこの推薦のおかげだと考えている。中国側参加者は、日本のスタートアップ・ベンチャー企業の質の高さについて関心を示していた。主な日本側参加（発言）企業を図表 5-3 に示す。

　スタートアップ企業支援機関（産業革新機構、NEDO、日本商工会議所）のほか、銀行・証券・商社・VC、メーカー、弁護士事務所（アクシス国際法律事務所、旭硝子、オークネット、JSR、深圳市駐日本経済貿易事務所、住友商事、東洋証券、長崎大学、日本アジア投資、日本ベンチャーキャピタル、野村グループ、三菱商事、みずほ銀行、三井不動産）などからも参加があり、本団への高い関心が示された。

図表 5-3　日本から参加（発言）した主なスタートアップ企業（五十音順）

会社・団体名	主な事業内容・プロダクツ
ArchiTek	超小型革新的 AI& 画像処理回路
イノフィス	装着型ロボットスーツ
Kyoto Robotics	物流倉庫の知能ロボット化
connne	長崎でのクラウドファンディング運営
ジェイワイド	日本のベンチャーキャピタルの投資を受ける旅行会社
泰鴻人財技術諮詢	設計段階でのコスト低減などのコンサルティング
スマートドライブ	自動車にワンタッチで装着可能な IoT デバイス
ソラミツ	ブロックチェーン技術を活用した社会課題解決
Darma Tech	Makers Boot Camp として試作コンサルティング、試作品製作
トリプル W ジャパン	介護向け排泄タイミング予知デバイス
日本電動化研究所	e-mobility で培った経験に基づくコンサルティング
フォトシンス	法人向け後付型スマートロック
フローディア	組込型の Flash メモリ IP
ベジタリア	農業用センサー通信機器
まつばや百貨店	地域特化型通信会社、内外物販
ミノテック	日中間の最大級ポータルサイトの運営
ユニバーサルビュー	この世から眼鏡をなくすことを目指すピンホールコンタクトレンズ
リンクウィズ	人が作業をしている様に物体形状を認識する産業用ロボット

ビジネス交流会

　今回、当協会として注意を払ったのは、訪中団の目的が「視察ではなく交流である」という点であった。最近の深圳には御多分に洩れず、さまざまな視察ミッションが日本から来ているが、「ビジネスにつながらない」と不満の声が深圳側から聞こえてきており、場所によっては面談料金をとられるといった状況もあった。日本からの来訪者は「4L（Look, Listen, Learn, Leave）」、すなわち「視察をし、話を聞き、学び、投資の交渉や決定など何もしない」と隠喩されているようで、われわれ日中経済協会も他山の石として、日中双方にとって意義あるビジネス交流につながるよう注意深く日程調整に努めた。

　今回のビジネス交流の機会は、深圳の前海深港現代サービス業合作区管理

委員会と国信証券（深圳泰九）の協力で 2 度にわたって交流会ができたのが功を奏したと考えている。

　今回 63 人という大型訪中団になったが、スタートアップ・ベンチャー企業だけでなく、当協会のメンバー企業である大手メーカーや商社、銀行・証券、VC などの方々にも参加いただいた。日本側でも訪中団参加者間で、スタートアップ企業同士、また、スタートアップ企業と大手企業との交流も深めることができた。賛助会員の大手企業の方々も、コーポレート・ベンチャー・キャピタル（CVC）としての取り組みなどにも強い関心をもたれていたようだ。大手企業にとっては、中国側のスタートアップ・ベンチャー企業や中堅企業との事業提携などに関心が高かったのはいうまでもない。日・中間また日・日間でも、イノベーション協力に向けた、大変よいシナジー効果が出たと参加企業からは評価された。

深圳市前海区との共催によるビジネス交流会

　日本側 16 社、中国側 17 社、33 社の 5 時間半に及ぶロングラン交流会であったが、終始熱気は衰えず、また会場の内外でビジネスマッチングを行うことができたのは大きな成果であった。とくに、WeChat（中国でユーザー数 10 億人にのぼる SNS）によるアドレス交換にも皆さん慣れており、その後の交流にも役立ったようだ。中国では顔を交えての交流のみならず、リストのメールアドレスを活用し、WeChat による交流を通じて、双方積極的に別の時間帯でミーティングをもつなど、いまも続いて、それぞれ頻繁にやり取りされているようだ。このような迅速なやり取りも深圳では常識である。また、前海区への進出を表明された日本企業が訪中団参加者のなかから現れたことも驚きの成果であった。

　中国側にも注目すべき企業が数多くあった。図表 5-4 にて一部を紹介する。いずれも興味深い企業で、大企業、中小企業などさまざまなレベルの企業の参加があった。

図表 5-4　前海区とのビジネス交流会の主な中国側発言企業

会社・団体名	主な事業内容・プロダクツ
商湯科技（SENSETIME）	ディープラーニング AI
万魔声学科技（1 MORE）	オリジナルヘッドフォンブランド
達闥科技（CLOUDMINDS）	クラウドを応用したスマートロボット
嵐鋒創視網絡科技（Insta360）	360°カメラ
易晨虚擬現実技術（易晨 VR）	仮想現実（VR）デバイス
深圳市印堂科技（INTAO）	ウェアラブル医療機器、ホームロボット
香港 TESLA 科技	ペット犬向け啓蒙教育デバイス

深圳市前海区との交流会場にて

国信証券（深圳泰九）との共催による中日革新企業フォーラム

　国信証券は深圳のみならず中国全土で活躍している投資や IPO などの業務を中心とした総合証券会社であり、深圳地区ではスタートアップ・ベンチャー企業さらには大手企業に有数のネットワークを有する。今回、国信証券をパートナーとして選んだのは、日本のインフォデリバーの尚捷社長からの紹介によるものであった。

　図表 5-5 に、参加された中国側企業を示す。日本側 15 社、中国側 13 社のプレゼンテーションの機会が設けられた。

　国信証券のやる気モードがひしひしと伝わり、ランチタイムも惜しんで熱心なビジネスマッチングが行われた。交流会での座席配置も、参加企業の業種や関心テーマに十分配慮されたものであり、感謝している。

図表 5-5　国信証券（深圳泰九）との中日革新企業フォーラムの主な中国側発言企業

会社・団体名	主な事業内容・プロダクツ
艾科林環保科技（ECONIN）	スマート空気清浄システム、高効率濾過素材
深圳納徳光学有限公司（GOOVIS）	眼鏡型の拡張現実（AR）・仮想現実（VR）デバイス
康体佳智能科技（COMTTI）	スマート充電・電源デバイス
明月光科技有限公司（MY LUMENS）	日中合資の新型 LED 照明
子詢人工智能研究院	人工知能（AI）技術開発
雲魚（Accretion Game Studio）	ブロックチェーン技術を応用したソフトウエア
生碼医療科技（LifeCode Medical）	心臓血管疾患患者向けウェアラブルデバイス
高巨創新科技開発（HIGH GREAT）	携帯性と経済性を重視したドローン

国信証券（深圳泰九）との交流ではプレゼン→即マッチングの工夫がみられた

DJI 社は商用ドローンで世界シェア 7 割を握るトップメーカー

Tencent 社は時価総額アジア No.1 を誇る BAT の一角

BYD 社は中国電気自動車開発製造トップシェアから、新交通
システムとしてモノレール事業にも拡大中（写真は同社構内に
敷設されている車両）

その他視察先　ユニコーン企業

　これら企業視察は、深圳市前海区深港現代サービス業合作区、深圳市駐日
本経済貿易事務所の多大なる協力により実現したものである。DJI 社、
Tencent 社、BYD 社、華大基因（BGI）社などはいわずと知れた世界的ユニ
コーン企業たちであり、視察写真をもって報告にかえたい。

中国ゲノム解析最大手の華大基因（BGI）社はソフトバンクの
出資も受けている

4．おわりに

　今後、このような新しいタイプの日中イノベーション交流プラットフォー
ム構築のため、深圳や杭州、中関村、上海・蘇州などのスタートアップエコ
システムが形成されている地域に対して、スタートアップ・ベンチャー企業
交流ミッションのさらなる継続的な派遣や、インバウンド事業としての訪日
団受入れ（中国からの中国企業家倶楽部・緑公司連盟や有力大学の EMBA
など）を継続的に相互交流展開していくべきであると考える。

第**6**章

2035年中国半導体が世界の覇権を握る未来

賢者は歴史に学ぶ──日本企業は、中国半導体企業との共築精神で再び世界一を目指す

豊崎禎久

1．過去のアメリカが日本に仕掛けた日米半導体摩擦から半導体協定とその後まで

　事の始まりは、2018年10月8日のアメリカ議会報告書（Investigative Report on the U.S. National Security Issues Posed by Chinese Telecommunications Companies Huawei and ZTE"）がアメリカ議会に警鐘を鳴らしたことである。上院軍事委員会委員長のジョン・マケイン上院議員らが中心となって、2019年度アメリカ防権限法（John S. Mccain National Defense Authorization Act For Fiscal Year 2019）が成立した。この法律は、中国ファーウェイや中国ZTEが製造する危険な技術をアメリカ政府の省庁が使用することを禁止したことから、米中貿易戦争の火蓋が切られた。

　米中貿易戦争の影響により、「中国製造2025」の当初のICの生産計画は大幅な見直しを余儀なくされた。中国は当初の計画通りにIC生産を実現することは不可能となった。しかしながら、中国は、アメリカとの貿易戦争を受けて、アメリカ企業から供給される重要なIC部品への依存を減らすために、中国全土の政府関係者と半導体企業の代表者が国産化を早急に進める決意も表明した。ただし、大きな課題は、オランダASML社EUV（極端紫外線）露光システムの調達である。この装置の中国向けは出荷は、オランダ政府の判断で見送られた。背景には、アメリカ政府のプレシャーがあったと考えるのが自然な成り行きだろう。

　今回の米中貿易戦争は、過去の日米半導体摩擦のデジャブといえる。過去のアメリカが日本に仕掛けた日米半導体摩擦から半導体協定とその後までをおさらいをしておこう。まずは、世界半導体ランキングの1981年、1986年、

図表 6-1　1980 年代と 2019 年の世界半導体売上ランキング推移

ランク	1981 年	1986 年	1989 年	2019 年
1 位	TI（米）	NEC（日）	NEC（日）	Intel（米）
2 位	Motorola（米）	東芝（日）	東芝（日）	Samsung 電子（韓）
3 位	NEC（日）	日立製作所（日）	日立製作所（日）	SK Hynix（韓）
4 位	Philips（欧）	Motorola（米）	Motorola（米）	MICRON（米）
5 位	日立製作所（日）	TI（米）	TI（米）	BroadCom（米）
6 位	東芝（日）	NSC（米）	富士通（日）	Qarcom（米）
7 位	NSC（米）	富士通（日）	三菱電機（日）	TI（米）
8 位	Intel（米）	Philips（欧）	Intel（米）	ST MicroElec（スイス）
9 位	松下電子工業（日）	松下電子工業（日）	松下電子工業（日）	キオクシア（日米）
10 位	FCI（米）	三菱電機（日）	Philips（欧）	NXP（オランダ）

注：網掛けは日本企業

出所：半導体歴史館　http://www.shmj.or.jp/index.html、米ガートナー

1989 年、2019 年の変化を図表 6-1 で明らかにしながら解説していく。

アメリカが日本に仕掛けた半導体戦略を再検証

　1980 年代、DRAM の占有率、半導体全体の占有率でも日本半導体メーカーに抜かれたアメリカ半導体メーカーは、この状況に危機感をもった。半導体だけでなく、カラーテレビなどの家電製品においても日本電機メーカーが世界で大躍進し、アメリカ電機メーカーの凋落が顕著だったからである。

　当時のレーガン大統領（共和党）は「産業競争力に関する大統領顧問委員会（President's Commission on Industrial Competitiveness）」をアメリカ議会に設置し、委員長には、当時、米ヒューレット・パッカード社（HP）の社長だったジョン・ヤング氏が就任した。数百人の委員が 1 年半に及ぶ緻密な日本の調査研究を行い、1985 年 1 月、ヤング委員長は、「国際競争力と新たな現実（Global Competition ─ The New Reality）」と題する報告書を提出した。これが、いわゆるヤング・レポートである。

　このヤング・レポートでは、プロパテント政策および通商政策が重要課題の一つとして提言された。これらの政策により、日米半導体摩擦が激化した。その一環として、米テキサス・インスツルメンツ（TI）社が、DRAM の基本特許侵害を理由に、日本半導体メーカー 8 社を提訴した。日本半導体メーカーは敗訴し、和解金 1 億 9000 万米ドルの支払いを命じられた。

　1987 年当時の日本半導体メーカーは、年間 1 万件を超える特許を出願し続けていたにもかかわらず、TI 社の DRAM 特許に 1 社も対抗できなかった。このことから、当時の日本半導体メーカーは「特許は量ではなく、質（基本特許）が重要である」という反省を行った。80 年代に日米半導体メーカーに起こった第一の事件が、これである（電機メーカーだけの特許問題でなく、日米の裁判制度の違いも背景にはある）。

　第二の事件は、同時期に、日本の特許庁から「特許出願数を減らすように」と日本半導体メーカー各社に指導があったことである。日本半導体メーカートップ 5 社から年間 1 万件を超える特許が出願されていたため、特許庁が処理をしきれずパンクしたのだ。これ以降、日本半導体メーカーは、1 件の特許を大型化するなどして出願数を減らす方針をとることになったが、このことも日本の技術開発の弱体化を招いた。

　日米半導体摩擦、TI 社からの提訴、特許庁の指導、これらの要因がすべて 1980 年代半ばに起こった。1987〜1994 年にかけて日本メーカーによる半導体関連の特許出願数が激減するのは、このためである。

　日本電機メーカーの弱体化は、国産 OS をエンベデッドした TRON マイクロプロセッサ開発の断念にも起因している。アメリカ合衆国通商代表部（Office of the United States Trade Representative: USTR）は、日本製 TRON をアメリカ製 OS に対する対抗勢力とみなし、その勢力を押さえ付けるために政治的に圧力を掛けた。当時の日本政府は、TRON テクノロジーの先駆性に気付くことができず、不必要な妥協をしてしまったのである。

　TRON は、その後、携帯電話やデジタルカメラ、デジタル家電や自動車エンジンコントロールユニットなどの組み込み OS として急成長し、非パソコン分野では業界標準の座を獲得した。

日本がアメリカに、スーパー301条適用などでバッシングに遭った分野は以下のとおりである。

- 半導体
- TORN チップ（日本独自アーキテクチャのマイクロプロセッサ開発断念）
- 電子機器（東芝製不買運動）
- 日本車（自動車）
- コンピュータ（FBI おとり捜査による日立製作所と三菱電機の米 IBM 事件）
- スーパーコンピュータ（米クレイ社）

対日戦略の中心はセマテック

日本半導体メーカーが世界一のシェアをアメリカから奪った翌年の1987年、アメリカ半導体工業会（Semiconductor Industry Association: SIA）の提唱で、半導体メーカ11社の出資により、企業連合体であるセマテック（Semiconductor Manufacturing Technology: SEMATECH、アメリカの国防総省と民間半導体メーカー14社が共同出資した半導体製造に関する技術の研究開発のためのコンソーシアム）が設立された。

セマテック設立から5年間の、アメリカ防総省高等研究計画局（DARPA）による資金援助は5億米ドルに上った。セマテックは、半導体製造に関する技術の研究開発のためのコンソーシアムであり、その特異性は、第一にアメリカ政府が特定産業の救済のために資金援助を行ったこと、第二にあわせて80％もの占有率になる半導体産業の主要アメリカ半導体メーカーが結集したことにある。

セマティックの初代CEOは、米インテル社の設立者の1人であるロバート・ノイス氏であった。アメリカの半導体戦略は、米インテル社が主導的立場をとり、半導体技術ロードマップ（ITRS）に日本の製造装置メーカーを積極的に参加させ、日本側にR＆Dに対する投資をさせるというものであ

った。日本側の代償は、米インテル社などからの製造装置の発注というビジネスモデルであった。

　ちなみに、ITRS とは、1988 年セマテックが発表したアメリカ半導体の製品開発スケジュールのことである。1987 年、日本半導体メーカーの輸出攻勢に手を焼いたアメリカ政府は、高度な半導体技術の育成を目標として、1987 年から毎年 1 億ドルの補助金を 10 年間にわたってセマテックに投じ、1994 年に日本半導体産業に追い付くことを目標とした。米インテル社は、この ITRS の仕組みが功を奏し、アメリカ半導体産業は 1994 年に再度世界一に返り咲いたのである。世界一に返り咲いたアメリカ半導体産業は、半導体部品と半導体装置の二つのセグメントのシェアを、日本から奪還した。

　このようにアメリカの最大の強みは、真珠湾奇襲攻撃と日米半導体競争の敗戦から FACT を徹底分析し、再度勝ち残る戦略と戦術を、戦況に応じて複数のプランから臨機応変かつ迅速に実行する能力である。

日本の凋落は、日米半導体協定がはじまり

　日本半導体メーカーの処方箋を解説する前にまず、日本半導体メーカーが凋落してしまった理由を明らかにする必要があるだろう。

　凋落を招いた原因は、一つだけではない。しかし、日本半導体産業界に最も大きなインパクトを与えたのは、1986 年に締結された「日米半導体協定」だと断言できる。この協定は、日本半導体メーカーの躍進に危機感を募らせたアメリカが、数々の政治的な圧力を日本に掛けた結果として結ばれた。

　アメリカ半導体工業会（SIA）は、1985 年 6 月に、日本半導体メーカーの半導体製品が不当に安い価格でアメリカ市場に輸入されているとして、通商法 301 条（スーパー 301 条）に基づき USTR に提訴した。提訴を受けて米通商代表部は、1986 年 5 月に「クロ」の仮裁定を下す。

　これに慌てたのが通商産業省（現在の経済産業省）である。貿易摩擦の激化を避けるべく、1986 年 7 月に日米半導体協定に調印したのである（日本の大手半導体企業幹部と通産省幹部が協議して、苦肉の妥協策として決定されたものである）。

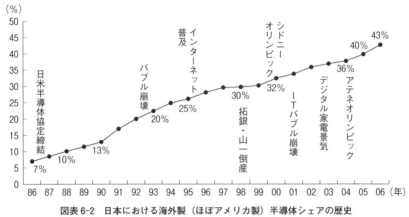

図表6-2 日本における海外製（ほぼアメリカ製）半導体シェアの歴史

出所：外国系半導体商社協会（DAFS）資料

　図表6-2をみると、日米半導体協定以降、日本市場の開放によって、海外製（ほぼアメリカ製）半導体シェアが急速に上がり、日本半導体メーカーのシェアが急速に低下していることがわかる。2010年には、6割近くの国内シェアを海外勢に奪われた。

　これが日本半導体企業の凋落の最大の原因である（当然、海外でも、日本半導体メーカーのシェアは低下している）。これで、アメリカのプレッシャーによる日本産業政策の変更がいかに日本を弱体化させたか、事実として読者の皆さんも理解して頂けただろう。

　筆者は日米半導体協定を、幕末の1854年に締結された「日米和親条約」に匹敵する不平等通商条約だと評価している。当初、市場開放の目標値として掲げられたのは20％だった。

　この数字を達成するために通商産業省は、日本電機メーカーを監視し、海外製半導体の購入額などを毎月報告させていた。日本電機メーカーのなかには、海外製半導体の購入額を増やすために、実際には使わない半導体を購入し、廃棄していた事例もあった。日本製半導体チップの入ったパッケージのマーキングをアメリカ製にして、5％程度の利益を享受し、無理やり売り上げを計上していた事例も数多くあった。

　こうした日本企業側の努力の結果、海外製半導体の占有率は、1992 年に目標値である 20% に達した（筆者はアメリカ半導体メーカーの社員として、日本半導体メーカーに戦略マーケティングの仕事としてプレッシャーを掛ける立場から、冷静にこの状況を当時みていた）。

　本来であれば、その後も海外製半導体の占有率が 20% 程度にとどまるように監視・指導するのが筋だっただろう。ところが通商産業省による監視は 1995 年に終わり、その後は市場原理にまかせる形となった。そして 2006 年には、海外製半導体の占有率は 43% に到達した。これは、日本政府側の管理ミスと油断が招いた致命的な政策ミスである。海外製半導体の占有率を高める過程で、日本半導体メーカーの設計技術や製造技術（日本の最先端技術のノウハウは、製造装置に組み込まれていた）が、海外（アメリカ・韓国・台湾）に流出してしまったのである。

　セマテックから生み出された企業として、世界最大の半導体製造装置メーカーである米アプライド・マテリアルズ社がある。同社は、2001 年までの 25 年間に、売上高を年平均 30% という高い成長率で伸ばし続けてきた。これは驚異的な数値である。25 年間で売上高が 500 倍以上に増えなければ、ここまでの成長率は達成できない。

　アメリカ再成長の背景には、アメリカの業界ロビー活動とそれに連動した国家戦略もあるが、日本企業との経営手法の大きな違いもある。それは、経営の未来ビジョンと戦略に対する姿勢の違いであるといえよう。極論すると、日本式経営は戦略性に欠ける。これに対し、アメリカ式経営では、戦略性を最も重視するのである。戦略マーケティングの手法こそ、唯一、持続的成長を可能にするものなのである。

2．日本半導体の凋落原因

日本半導体の凋落原因は、独創的な ASSP を生み出せなかった

　筆者は、現在のシステム LSI（SoC）を世界に先駆けて開発し、ビジネスを創出してきたという実績をもっている。過去の半導体アナリストの虚業の

世界から戦略マーケッター＆アーキテクトとして実業の世界に現場復帰したのを機に、日本半導体メーカーの読者の皆さんに成功するためのビジネス・ノウハウを伝授したい。

日本半導体の最大の弱点は何だったのか？

それは、オリジナルなロジック ASSP（Application Specific Standard Product[1]）を世に送り出せなかったことである。ASSP の定義は、すでに 1990 年代初頭には存在していた。だが、ASSP を必要とするデジタル家電用途の電子機器は、当時、まだ存在していなかったため、ASSP の地位は低かった。1990 年代の終わりには ASSP が ASIC（Application Specific Integrated Circuit、集積回路の総称）の市場規模を超えたが、日本半導体企業はこの時点でも ASSP を本命視できなかった。デジタル家電の高性能化、高機能化、小型化、省電力、低コスト化には ASSP が欠かせない。ときとともに、確固たる存在にまで ASSP の地位は向上した。

次に、この ASSP について取り上げ、戦略マーケティングの視点から概説しよう。

これまでの ASSP の総括

海外のリーディング半導体企業は、システム・メーカーと対等なパートナーシップ関係を構築する。それまでにない最終製品の新市場の創出を目指し、戦略パートナーと協働する。新システム仕様／性能に不可欠なシステム新技術開発と、その新技術を ASSP で実現するための独自の新電子回路開発・最適な新プロセスとパッケージ開発を、相互に受け持つ。このシステム新技術は、IEEE（アメリカ電気電子技術者協会）やその他標準化団体（フォーラム）へ上げられ、ボード・メンバー役として標準化に賛同する企業を募り、リーダーシップを発揮しながらその新技術がフォーラム・スタンダード（そして、これがのちにデファクト・スタンダードとなる）になるよう、精力的

（1）　特定用途向け IC である ASIC（特定用途向け集積回路）のうち、半導体メーカーの主導で特定用途のために設計・開発され、一般の顧客に対して販売されるもの。携帯電話やデジタルカメラの電源管理、画像処理、音声処理などに使われる。

に活動する。

　半導体企業は、開発した ASSP について、まず戦略パートナーのシステム・メーカーによるシステム評価を受けさせ、デバック（コンピュータプログラムや電気機器中のバグを発見および修正し、動作を仕様通りのものとするための作業）を行い、チップを完全なものにして量産へもっていく。そのとき、システム・メーカーは、リリースされた半導体チップのユーザーでもあるため、早期にビジネス立ち上げが計れる。

　新技術標準化参加企業も、標準化したシステム新技術を採用して新システムを市場へ導入するためにわざわざリソースを使って ASIC を起こすより、その ASSP を使用してシステム構築を図ったほうがはるかにメリットがあることは自明なので、これまた ASSP のユーザーとなりうる。

　さらにその ASSP のリファレンス・デザインを Web で公開したり、専任アプリケーション・エンジニアをアサインして強力なアプリケーション・サポート体制を築く。

　こうして独創的かつオリジナルな ASSP の市場は、世界各地域へと広がっていくのである。

　またプラットフォーム型 ASSP の場合には、サードパーティのソフトハウスまで巻き込んだり、その ASSP が実装された新誕生の最終製品がデジタル家電の場合にはその最終製品の普及には魅力的なデジタル・キラー・コンテンツ（圧倒的な魅力をもった情報やサービス、製品）の有無が大きく左右するため、コンテンツ・プロバイダーまで巻き込むこともある。

　さらに近年では半導体チップのハード形態ではなく、電子回路を IP 化[2]しソフトとして提供しビジネスを行う傾向が目立ってきている。

　一方、21 世紀に入り日本半導体企業（NEC、東芝、日立製作所、松下電器産業、三菱電機）は、DRAM ビジネスから撤退してからは、ロジック半導体事業注力だ、先端プロセス開発だ、やれ SoC だ、いや SiP だのワン・パッケ

（2）　前もって後の再利用を考慮して、設計の思想、考え方（原理）、検討課題と検証結果を誰でもが納得のいく形で（原則に従って）ドキュメント化した設計情報を一元的に管理し再利用していくこと。

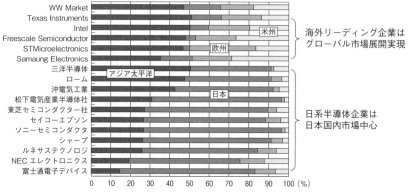

図表 6-3　世界地域別半導体売上高比率評価

出所：2007 年 4 月アーキテクトグランドデザイン

ージへ集約するのが主目的にみえる SoC を仕立て上げるメソドロジー（手法）に対し、過熱気味状態の時間を過ごしてきた。

　ところがその間、海外では、ZigBee、WiMAX などの新無線規格やたった１本のケーブルで、映像と音声を高品位なデジタル信号でやり取りできる、先鋭のデジタル A/V インターフェイス規格「HDMI」、セキュア・ディスプレイ用規格「DisplayPort」と数々の最新規格がフォーラム・スタンダード化されてきている。

　そしてフォーラム・スタンダード化をリードしてきた海外半導体企業がそれら規格に対応した ASSP を開発し、いち早く市場に投入して先駆者利益に興じている。

　図表 6-3 は日本半導体と海外半導体の差異を分析したものであり、日本半導体企業がピークを迎えた 2006 年時点の売上データから算出し独自のロジックで評価した結果である。

　標準化団体に参加している技術力のある日本半導体企業は、同様の ASSP を開発するもビジネス立ち上げで出遅れている模様である。

　そもそも、日本半導体企業はエレクトロニクス機器セットメーカーである親会社とのインハウス（自社内）・ビジネスに依存する部分が大きい。親会

社がセットを構成する電子回路情報をクローズするためのカスタム品として
ASIC 化するとき、子会社の半導体企業がその ASIC を受注し、そして納入
する。その ASIC の単独ユーザーである親会社が他のエレクトロニクス機器
セットメーカーへその ASIC を販売する事を了承した場合には、ビジネス水
平展開ができるが、かれらの顧客は日系のセットメーカー（最終製品の開
発・販売を行う企業）がほとんどである。このような ASIC 水平展開による
いわば ASIC デリバティブ（派生的）で結果的に ASSP となる形態は、1990
年代から続いてきた日本半導体企業のビジネスモデルである（図表 6-4）。

　筆者は警告する。日本半導体企業はこのような伝統的ビジネスモデルだけ
では生き残れない。いますぐにでも脱却すべきである。

　一方、中国半導体企業に目を移すと、国半導体行業協会集積電炉設計分会
の調べでは、中国本土には、2018 年末時点で 1700 社を超えるファブレス
（工場を所有せずに製造業としての活動を行う企業）集積回路設計企業が存
在しており、その頂点が、ハイシリコン社（ファーウェイ社傘下）である。
日本がかつて世界を席巻した内製半導体と米ファブレス半導体のビジネスモ
デルをうまく吸収し、オリジナルの進化モデルを編み出したことが、韓国半
導体との大きな違いである。

　中国半導体企業は OEM 傘下に内製半導体が存在する。その代表がファー
ウェイ社のハイシリコン社であり、いまでは世界最先端の半導体企業として
ポジショニングされる。とくに、エンド・アプリケーションと連動するクラ
ウドのビック・データに価値を生み出す AI 半導体（ASIC）を、ハイシリコ
ン、百度、ファーウェイ、キャンブリコンテクノロジー、ホライゾンロボティ
クス社など複数企業が、開発をハイピッチで進めているとしている。

目指すべきは「偉大なる小国ニッポン」のポジション

　日本電機メーカー（半導体・液晶・リチウム電池・太陽光等含む）が、根
本的な改革を先送りしてきた代償は大きい。何も策を講じなかった、国内半
導体メーカーは総崩れになり、いまや風前の灯である。いま振り返ると、日
本の電機産業再編のタイム・リミットは、2008 年であった。

図表 6-4　海外リーディング企業の強さの源泉の明確化および日本企業の現状との比較

マーケティング基本戦略について

分析項目	外資系半導体企業	日本半導体企業	日本半導体企業の策定原因
戦略の志向性	・グローバル・ビジネス展開 ・利益的かつ持続的成長 ・付加価値志向差別化（Value added）	・国内市場主体型ビジネス志向 ・シェア拡大・売上目標達成 ・生産志向差別化（コストリーダーシップ）	・国内エレクトロニクス産業との深い繋がり。 ・世界半導体市場規模に対する日本市場の割合がそれなりに今まであったため。 ・競合他社がひしめいておりシェア拡大により売上を伸ばす必要があったため。
戦略策定プロセス	・自社が市場を創造することが前提 ・選択と集中のみならず事業売却、買収まで考慮 ・国際的パートナーシップ構築を考慮	・市場がすでに存在することが前提 ・選択と集中はするが、事業切り捨てはしない ・国内同業他社との協働を考慮	・先行メーカーの標準品市場に対するセカンドソース品事業として市場規模を把握するため。 ・従業員の継続雇用が優先のため。
製品戦略	・マーケット・イン（ASSP、AS-Andog、MPU） ・システム・レベル・インテグレーション ・プラットフォーム（ソフト＋ハード）	・プロダクト・アウト（Memory、標準リニア、ディスクリート） ・セカンド・ソース ・ハード単品	・量的拡大型ビジネスに力点が置かれていたため。 ・ASSP が重要であるという視点がこれまで欠如。 ・システム・ニーズを製品化できるプロのマータターー不足。
価格戦略	・事業部マーケティングが価格戦略を策定 ・価格戦略の実行はマーケティング ・プライス・アップの戦略も実行	・価格戦略策定実行責任の所在がマチマチ ・価格戦略の実行は必ずしもマーケティングではない ・プライス・アップ戦略は一般的ではない ・内販価格で外転価格（利益圧迫）	・責任と権限の明確化がされていない、明確化されていても厳守されていない。 ・責任と権限がマーケティングにない。 ・もしくはマーケティングそのもの自体が存在しない。

出所：2007 年 4 月アーキテクトグランドデザイン

　仮に日本半導体の再興の処方箋を最後に講じることができる機会が訪れるとするならば、巨大な中国市場と設計能力の高い中国半導体の最先端チップ製造を一手に担うファウンドリ（半導体産業において、実際に半導体デバイスを生産する工場）企業を日本に誕生させるというシナリオである。

　市場調査会社の IC Insights が発表した、2018 年のファブレス半導体の地域別の販売額によれば、中国が大変な勢いで伸びている。2010 年には中国は５％の市場シェアしかもっていなかったが、2018 年の調査では 13％にも増えていた。

　「巨額の設備投資資金が必要となる」最先端ファウンドリの規模にはさまざまな課題が残るが、日本に半導体製造技術を残しておくという国策としても必要であろう。日中半導体企業と大学と間での技術補完を行いながら、半導体製品のセグメント分けを行い、スマートシティに実装される社会インフラ用の高収益な半導体製品を供給する組織を実現する必要性がある。

　なぜなら、中国は国内のみならず、「一帯一路」のユーラシア・シルクロードからアフリカまでの近代の「すべての道はローマ（ここでは中国）に通ず」となり、巨大アプリケーション市場とビック・データを活用したサービスを握り、向こう 10 年で世界 AI 半導体の覇権を握ることが予測されるからだ。

　電気自動車に必要なキー・コンポーネントとなるモーター制御用のパワー半導体やモバイル機器に搭載される高性能無線モジュールの国産化まではまだ時間がかかるが、これも時間が解決するだろう。現在の日本半導体業界が凋落した責任の所在は現場の技術者ではなく、日本政府の産業政策と経営者、戦略マーケティング能力の欠如にあるのは明らかである。

　不遇な状況でも一生懸命努力している日本人現場技術者に報いるためにも、世界で必ず勝つ日本ハイテクメーカーとして再興をしなければならない、と筆者は強く期待する。

　日本の伝統的な考え方に則り、優れた経営者（または技術者）が理想に燃えて強いリーダーシップを発揮して、経済システムを引っ張っていかなければならない。いま取り組むべきことは「日本の技術者による、日本の技術者

ための、日本企業の事業改革（自動車メーカーを含む再編）」であり、当然ながら企業をサポートする戦略部門やシンクタンクも日本企業と日本人が当事者意識と責任をもつことが絶対条件である。

　これを実現するためには、経営者と技術者がともに力をあわせて、早急に世界で戦う仕組みを作り上げていくことである。

　2020年以降、新型コロナウィルスで未来社会は大きく変化する。バブル崩壊後から失われた30年、日本にとってピンチをチャンスに変えるゲームチェンジの機会でもある。ハイテク日本企業の強みは、逆境から這い上がる力である。

第**7**章

中国は新エネルギー車（NEV: New Energy Vehicle）で世界の自動車強国を目指す

野辺継男

1．自動車産業は 100 年に一度の変革期

変革の内容は CASE、MaaS に集約される。

　国際的に「自動車産業は 100 年に一度の変革期を迎えている」といわれ始めてすでに数年が経過した。1907 年に T 型フォードの大量生産とともに生まれた自動車産業において、その後 100 年あまりの期間で構築された自動車と人間の関係が、直近の 10 年〜20 年でその 100 年間相当以上に変化するというものだ。現在、自動車産業はその変革の渦中にある。

　この変化は、COVID-19 でむしろ加速された可能性がある。ただし、引き続きキーワードは CASE と MaaS に集約される。CASE とは C：コネクテッド、A：オートメーション、S：サービス、E：エレクトリフィケーションの頭文字である。CASE はクルマのあり方に視点を置いた方向性を示し、MaaS（Mobility as a Service）は「サービス」としてのモビリティ（移動）に視点を置き、クルマのみならず、鉄道やバス、自転車、スクーターといったあらゆる移動体を組み合わせ、経路案内やチケッティングから決済を含め、スマホのアプリケーション（以下アプリ）でシームレスに利用可能とする新たな事業形態を示す。

　CASE と MaaS が相まって実現される大きな産業構造の大変革が 2016 年頃[1]から国際的に始まった[2]。この CASE および MaaS と同じ範疇を、中国ではクルマの ICT によるインテリジェント化である ICV（Intelligent

---

（1） https://www.reuters.com/article/us-autoshow-paris-mercedes-digital/daimler-to-make-more-than-10-electric-cars-by-2025-idUSKCN11Z1ON

Connected Vehicle）と、化石燃料からの脱却を目的とした新エネルギーを利用するクルマ、例えば BEV[3]（Battery EV）、p-HEV（Plug-in Hybrid EV）、FCV（Fuel Cell Vehicle）を含む NEV（New Energy Vehicle）の導入を組み合わせ、国を挙げて推進している。

クルマのインテリジェント化の第一弾

　日本でも 1970 年代には大気汚染などの公害が社会問題となり、73 年と 79 年には世界的にオイルショックもあった。その結果、省エネとともに、余分な燃料を燃やして無駄な二酸化炭素を大気中に排出しないため、エンジンへの燃料の噴射を車載マイコンを搭載した ECU[4]のプログラムにより電子的に制御[5]するようになり、クルマに半導体が入り始めた。その後、ABS（Anti-lock Braking System）やエンジン制御やトランスミッション制御など走行に関係する制御から、広義にはセンサーやアクチュエータといったものまでを含め ECU が各種機能ごとに装備されるようになった。

　こうした多様な ECU が接続された CAN[6]と呼ばれる車載ネットワークが 1990 年代初頭に標準化され、ECU のクルマへの装着が普及した。2010 年になると、量産車でも 30 から 60 個、高級車で約 100 個と大量に載るようになり、クルマの安全、安心、快適、利便性を大幅に高度化した。1990 年頃、「クルマが 10 億キロメートル走ると何人亡くなるか（図表 7-1）という数字が主要各国でおおむね 28 人〜8 人程度だったものが、2010 年には 8 人〜4 人へと全体的に急激に下がった。半導体がクルマに大量に搭載されたことが、ク

（2）　MaaS の先駆的な代表例として広く認知されているは「Whim」だ。フィンランドの Sampo Hietanen 氏が 2006 年頃からのアイデアをベースに 2014 年に概念を発表し、2015 年に MaaS Global 社を立ち上げ、2016 年にヘルシンキ市との実証実験を経て、2018 年に Whim を開始した。Whim を利用すれば公共交通機関やライドヘイリング等を組み合わせた移動に対して、全体の移動計画、予約、発券、支払いなどのあらゆる処理が"シームレス"に結合される。
（3）　バッテリーのみで走る EV（電気自動車）。
（4）　Engine Control Unit、あるいは Electric Control Unit。
（5）　EFI（Electronic Fuel Injection）や EGI（Electronic Gasoline Injection）などと呼ばれる。
（6）　Car Area Network、あるいは Control Area Network。

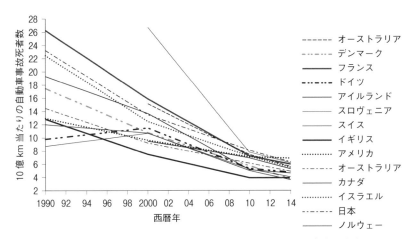

図表 7-1　「クルマが 10 億キロメートル走ると何人亡くなるか」世界統計

出所：OECD/ITF（2016）Road Safety Annual Report 2016, p. 24, Table 1.3（https://en.wikipedia.org/wiki/Transportation_safety_in_the_United_States）

ルマそのものの安全性を高めた一つの重要な要因と考えられ[7]、これがクルマのインテリジェント化の第一弾といえる。

クルマのインテリジェント化の第二弾

　ところが 2010 年以降、この 10 億キロメートル当たりの死亡者数は、おおむね 4 人未満にならず、下げ止まっている[8]。また別の見方では、多くの国々で事故の原因の約 95％が人間の認識・判断・操作ミスといわれる状況になっている。すなわち、クルマ自体はもはや究極に近いといえるほど高度に安全になっており、ほとんどの事故原因は人間側にあり、この人間の認識・判断・操作の不足をコンピュータで補うことができれば事故をさらに減

（7）　こうしてクルマが安全になった他の重要な要因として、道路交通環境整備や酒酔い運転に対する取り締まりの強化なども挙げられる。

（8）　2016 年の数字として、ノルウェー（3.0）、スイス（3.2）、スウェーデン（3.3）、イギリス（3.4）、アイルランド（3.8）、デンマーク（3.9）が 4 人以下になった。一方、アメリカでは現状 7 人程度で微減が続いているが、逆にドライバーの死亡は減っても歩行者の死亡事故は増えている。https://www.theverge.com/2019/10/23/20927512/traffic-death-crash-statistics-nhtsa-us-2018

らすことができるという議論が 2010 年頃から活発化し⁽⁹⁾、それが今日の"運転の自動化"や自動運転の開発につながっている。

　中国では自家用車（四輪）の保有台数が 2000 年に 625 万台だったものが、2019 年末時点で 2 億 700 万台となり⁽¹⁰⁾、約 20 年間で 2 億台（97％）も増加した。その状況のなかで、WHO の 2018 年の資料によると、二輪車も含む保有台数 10 万台当たりの 2016 年における交通事故死者数は約 20 人で、アメリカの 1.5 倍以上、日本や西欧諸国（ドイツ、イギリス、フランス、イタリア）の 3 倍以上となっている⁽¹¹⁾。これでも交通事故死亡者が最も多かった 2002 年の 10 万台当たり 137 人⁽¹²⁾という値から毎年下降したが、クルマの安全性向上は中国でも大きな課題となっていた。道路上の事故をさらに減らすために、交通法規遵守はもとより、PSAP（Public-Safety Answering Point）などの緊急通報システムの設置も検討され、そのためにクルマを通信とつなぐ"コネクテッド"に対する関心が中国でも 2010 年以前から注目を集めて

（9）　Google は 2009 年から完全自動運転の公道テストを行っていたと発表している。

（10）　https://www.jri.co.jp/MediaLibrary/file/report/rim/pdf/5336.pdf

（11）　登録車両 10 万台当たり、人口 10 万人当たり、の死亡者数は下記の通り（自動車市場規模順）。

	新車登録台数	保有登録台数	人口 (2016)	交通事故死者数	10万台当たりの死亡者数	10万人当たりの死亡者数
中　国	28,080,577	294,694,457	1,411,415,375	58,022	19.7	4.1
アメリカ	17,701,402	281,312,446	322,179,616	35,092	12.5	10.9
日　本	5,272,067	81,602,046	127,748,512	4,682	5.7	3.7
インド	4,400,136	210,023,289	1,324,171,392	150,785	71.8	11.4
ドイツ	3,822,060	56,622,000	81,914,672	3,206	5.7	3.9
イギリス	2,734,276	38,388,214	65,788,572	1,804	4.7	2.7
フランス	2,632,261	42,363,000	64,720,688	3,477	8.2	5.4
ブラジル	2,468,434	93,867,016	207,652,864	38,651	41.2	18.6
イタリア	2,121,781	52,581,575	59,429,936	3,428	6.5	5.8
カナダ	1,984,992	23,923,806	36,289,824	1,858	7.8	5.1

参考：https://www.who.int/publications-detail/global-status-report-on-road-safety-2018

（12）　二輪を含む保有車が 7975 万台で 10 万 9381 人の事故死。

いた。

　一方、アメリカでは、1996年以降、GMのOnStarという通信サービスがすでに市場に浸透していた。これはスマホが浸透する前の、アナログ携帯電話の時代から1対1の音声通信にデータを乗せたショートメッセージサービス（SMS）を利用したもので、事故時にエアバックが展開した際などに自動的にコールセンターにショートメッセージ[13]が送信され、オペレーターが電話をしてドライバーの安全を確認し、必要に応じて警察や消防の出動を求める緊急コールや、盗難車追跡、遠隔でのドアの解錠やエンジン停止といった、いわゆるセイフティ＆セキュリティサービスを提供するものだった。

　GMは1997年、中国で上海汽車工業公司（SAIC: Shanghai Automotive Industry Corp.）などの現地パートナーとの合弁会社を設立し、その2年後にBuick Century Sedanを出荷し、中国市場での高級車としてのイメージを定着させ、売り上げを拡大した[14]。2009年末にはGM（40％）、SAIC（40％）、上海GM（20％）の資本比率で合弁を設立し、アメリカですでに市場浸透していたOnStarのサービスを中国でも開始し、中国でクルマを"コネクテッド"にする道を切り開いた。

クルマのインテリジェント化の第三弾

　2000年に入ると、日本で"コネクテッド"のまったく新しい世代が生まれた。2000年は、ADSL（Asymmetric Digital Subscriber Line）の市場浸透により有線でのインターネットブロードバンドが市場に浸透し始め、携帯電話でもNTT DoCoMoのiMode[15]などの開始により、通常、音声通話が基本であった携帯電話でインターネット接続が可能となり利用が急拡大し始めた年である。

　また、日本では2000年の段階でカーナビゲーションシステム（以下、カ

---

(13)　位置情報、クルマの種別、型式、色、走行方向などのデータ。
(14)　2013年にVWに奪い返されるまでの8年間、GMは外国自動車メーカーとしてトップの座（GMと上海GM五菱を足した数）を占めていた。
(15)　KDDiであればEZweb、J-フォン（現ソフトバンク）であればJ-スカイ。

ーナビ）が、クルマの約50％に装着され、同年、欧米での装着率は約10％、中国で2〜3％であったのに対し非常に高い普及率であったといえる。

　この今でいうガラケーのおかげで、日本国内では携帯電話によるデータ通信が急激に普及し、HTTPというインターネットプロトコルを搭載していたことで、多数のクルマに装着されているカーナビからあらゆる種類の"データ"を集め、データセンターで計算した結果を運転の利便性や安全性を高める"情報"として提供することが可能になった。このカーナビとガラケーといった日本固有の市場性や技術動向のおかげで、インターネットと接続された"コネクテッド"技術が海外に先行して実現され、IoT（Internet of Things）という言葉がなかったころから、クルマを物（Things）とするまさにIoTが実現された[16]。それまでアメリカで浸透し始めていたアナログ系の携帯通信を使った、セイフティ＆セキュリティサービスは、あくまでも1対1通信であったのに対して、デジタル化されIP通信を搭載したガラケーではn対nのデータ通信が可能になり、日本で世界に先駆けてクルマがインターネットと接続され、まさにVehicle IoTが生まれた[17]。

　その後、2007年に登場したiPhoneが2008年末に3G化され、同時にAndroidも出荷されたことで、海外でもようやく携帯電話でHTTPを利用したデータ通信が可能となり[18]、インターネットと親和性の高い携帯電話、すなわちスマートフォン（スマホ）が生まれた。それらが国際的に市場を拡大し、2014年にはiPhoneとAndroidをあわせて年間10億台が出荷されるという急成長を遂げた。スマホの国際的かつ急激な市場浸透により、クルマからスマホを介して、データセンターにデータをアップロードし、クルマの利便性や安全性を高めるデータ通信が国際的に可能となり、世界でも日本と

---

(16)　GMのOn-Starはこれ以前からクルマに通信機を内蔵しSafety & Securityのサービスを実現していたが、当時はアナログ通信にデータを乗せるSNSを利用したものでインターネットは利用できなかった。

(17)　筆者自身、Telematics@Chinaという当時中国最大のクルマのコネクテッド化に関するコンファレンスで初回の2006年以降終了するまで、10年間程度基調講演を行い、2011年には中国工業情報化部主催のコンファレンスで車聯網（Vehicle IoT）という考え方を示した。

(18)　それまではSMS（Short Messaging System）といった技術でテキスト情報を送っていた。

同様、多くの国々でクルマが携帯ネットワーク網でインターネットと接続可能（Connected）となった。こうしてクルマが国際的にインターネットにつながり始めたのがインテリジェント化の第三段階といえる。

　スマホの拡大により、現在世界で約38億人がスマホを介してインターネットにアクセスできる[19]。そうした世界的に普及したスマホをターゲットとして、データセンター側でインターネットラジオや、レストランガイド、天候情報、e-コマース、SNS（Social Network Service）、ストリーミングビデオ、オンライン決済など、あらゆるサービスが世界中でローカルニーズにあう形で生まれ、それらを容易にクルマの中で利用可能となった。なかでもスマホが道案内するアプリは、多くの国々で利便性や正確性を高め、カーナビを置き換え、最近ではスマホが快適に利用できる地域であればおおむねどこでも目的地に達することができる。こうして多様なサービスがソフトウエアのコンポーネント（部品）としてクラウド上に生まれ、それらを Web API で相互につなげるだけで新しいサービスが構築できる。2015年までにはこのような世界が構築された。

クルマのインテリジェント化の第四弾

　2015〜2020年の間、クルマは半導体とともにさらに発達する。クルマに装着された超音波やカメラ、レーダーなどのセンサー群が高度化し、クルマが外部環境を認識するようになった（図表7-2）。それにより、例えば白線を認識して白線の間を走り続けたり、周りのクルマとの車間距離を維持したり、自動ブレーキにより障害物の前で止まったり、といったことができるようになった。それらにより実現される機能は高度安全支援システム（ADAS: Advanced Driving Assistant System）と呼ばれ、近年急激に進化している。

　そうしてセンサーで把握された外部環境のデータは、インターネット化された携帯ネットワーク網を介してデータセンターにアップロードされ、クラウド上の地図情報が3次元地図データベースとして逐次更新される。さらに

---

(19)　https://www.gsma.com/mobileeconomy/wp-content/uploads/2020/03/GSMA_Mobile Economy2020_Global.pdf

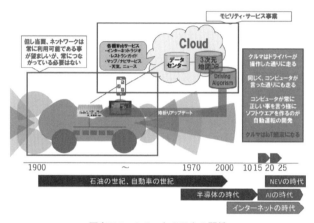

図表7-2　クルマと ICT との関係

出所：筆者作成

ECU のデータも同様にデータセンターにアップロードされ、あらゆる場所でクルマがどう走行したのかも分析できる。それらを大量のクルマから集めてディープラーニングを使って学習することで、人間では想定できないようなエッジケース[20]をシミュレーションしたり、いずれは人間の運転能力の限界を超える高度で安全・安心・快適な走行アルゴリズムが生成される。それらをプログラムに直してクルマの上のコンピューターにダウンロードすれば、コンピューターがクルマを運転し、クルマの自動化、さらには自動運転につながる。

　こうしてクルマをコネクテッド化することにより、不特定多数のクルマからのデータを分析し、現実世界をクラウド上の3次元地図に道路情報としてデータベース化し、その仮想空間（デジタルツインともいえる）をクルマが安全に走り抜けるような状況となる。こうした技術は5G を待たずに、現状の4G（LTE）でもある程度実現されるが、今後は5G でさらに進む[21]。こうしたクルマのクラウドとの接続による機能拡張が、インテリジェント化の第四段階といえる。

（20）　人が一生に一度も経験しないような事故のリスクをともなう状況。

　こうして現在は、センサー群と車載コンピュータがスマホを介して接続されたデータセンターとつながり、クルマの付加価値をさらに高め、今後クルマの役割を圧倒的に変えうる段階にある。そして、このスマホ自体もあらゆるセンサー技術の塊であり、ソフトウエアを含むコア技術の開発・生産が大半中国に移行している。中国では、2000年代3Gの導入の際に、方式の混在や通信事業者選定などの問題から一時期、独自の携帯技術にこだわり、日米欧に比較して遅れをとった時期があった。しかし、4G（LTE）では国際標準に基づき世界を席捲し、5Gでは世界をリードするポジションにある。さらに、IoTを実現する技術や、クラウド、ディープラーニングなどの技術や事業規模において、現実的にアメリカと双璧をなす。これがクルマと組み合わされた場合には、強力な競争力を獲得する可能性が高い。

クルマのインテリジェント化の第五弾

　2020年以降、いよいよ世界の一部地域で人間のかわりにコンピューターが運転する自動運転機能を搭載したクルマの商用化が始まる[22]。今のクルマは、人間が操舵・加減速などを操作すれば、基本的に意図した通りに走る。それと同じように、コンピューターが同様に指示すればその通りに走るようになっている[23]。もちろん、コンピュータが出鱈目な信号（命令）を送ればクルマは言われた通り出鱈目に走る。

　その状態を人間よりうまく、安全にコンピュータでクルマを運転できるように制御するのはソフトウエアだ。人間が大脳の視覚野や側頭葉で周囲を認識し、前頭前野で交通ルールを守り、運動野から手足に命令を下し、ハンドル・アクセル・ブレーキを操作してクルマを運転するように、車載コンピュ

---

(21)　2020年以降に拡大する5G通信を利用すると、通信速度（帯域）が拡大し、通信遅延も人間の認識しうる時間よりも短くなり、現在困難とされたりあるいはまだ存在しない機能やサービスが実現される。

(22)　運転操作の一部を肩代わりしたり、途中で人間のドライバーと交代したり、スタートからゴールまで完全に人間の運転が介在しないレベルまで存在し、市場投入されるレベルは、各国の道路事情や国や自治体の交通政策などによって異なる。

(23)　すでにハードウエアとしてのコンピューターをクルマに接続し、操舵（ハンドル・アクセル・ブレーキの操作）の命令を下すことは技術的には可能になっている。

ーターが各種センサーを用いて外部環境を認識し、メモリーに記憶された交通ルールに照らしあわせ、走行アルゴリズムに基づいて軌道を算出し、最終的に作成された軌跡をたどるように自動運転車両のハンドル、アクセル、ブレーキの動きを数値的に決定する。こうしたループを数ミリ秒単位で繰り返し、必要な操作データを CAN に入力することでコンピュータがクルマを運転する。人間と同様に運転するには、センサーの認識力やハードウエアとしての計算能力向上とともに、前もって不特定多数のクルマから集めた大量の周囲環境や走行状態に関するデータを、ディープラーニングや統計処理等を経て3次元地図を作成し、多数のクルマで共有することが要となる。こうして、"コネクテッド"を利用してクルマの高度安全支援システムの導入や自動化を実現し、共有するのが、クルマのインテリジェント化の第五段階といえる。

　ただし、ここで明記しておく必要があるのは、クラウド上で行っているのは環境や走行の「学習」であり、クラウドがネットワークを介して直接クルマを運転するのではないということである。クラウドで学習したソフトウエアを時折ダウンロードし、車載コンピューターが外部ネットワークが接続されていない状態でも走れるように自動運転を開発する。将来的には5Gにより、通信状況はよくなるが、それでも通信には遅延や遮断が起こりうることを前提に開発する必要性は当面は残る。

　現在の自動運転(24)の開発は大きく二つの異なる方向性で進められている。おおむね限定された走行領域でのモビリティサービスに利用され、まったく人が運転に介在しないレベル4と、ドライバーが所有するクルマの自動運転

---

(24)　自動化のレベルには5段階がある。「レベル2」までは人のハンドル・アクセル・ブレーキ操作を自動化することをさし、「レベル3」以上が自動運転。
　　　レベル5：人の走れる道路であれば、いかなる天候でも走れる完全自動運転（Fully Automated）。
　　　レベル4：特定条件下における完全自動運転（Highly Automated）。
　　　レベル3：条件付き自動運転（必要時は人が運転）。
　　　レベル2：「操舵」と「加減速」を連動させて自動化する。
　　　レベル1：「操舵」と「加減速」の一方あるいは双方を独立して自動化する（出所：アメリカ運輸省道路交通安全局（NHTSA））。

化で、人とコンピュータの間で「運転権限の移譲」をともなうレベル 3 だ。アメリカでは 2016 年の Federal Automated Vehicle Policy から、レベル 3 の条件として「（人の）ドライバーはつねに運転に戻る準備（Ready）ができていなければならない」と変更され[25]、逆に人への権限移譲の失敗で事故が発生した場合は、クルマ会社やモビリティ事業者が「ドライバーが Ready でなかった」ことを証明する必要が発生する。

　一方レベル 3 において、日々の技術の進化により自動運転で走れる範囲が拡大するとともに、ドライバーは自動運転技術を「過信」し、運転をしているという「状況認識を喪失」し、運転に戻ることが困難になるという指摘もある。こうした背景から、2017 年以降、たとえ自動化技術が「レベル 3」に達したとしても、あくまでもドライバーが運転の責任をもつ「レベル 2」として販売する考え方を明確に表明しているクルマ会社も出てきた[26]。技術的にはレベル 3 といえる能力があったとしても、事業的にレベル 2 として販売するこうしたクルマをレベル 2 ＋と表現する例も出てきている。

　こうした背景から、2016 年夏以降、海外の主要各社[27]は自動運転車としては、レベル 3 よりもレベル 4 の市場導入を早める計画を発表した。各社とも①ハンドル、アクセル、ブレーキのない完全自動運転車を、② EV で実現し、③人だけでなく物も運び、④個人に売らずモビリティ事業者に提供し、⑤あるいは自らもモビリティ事業者となり、⑥ 2021 年までに商用化する、とほぼ同様な発表をしている[28]。

　中国政府は 2030 年までに新車の 10％が完全自動運転になることを期待し、2020 年を自動運転の初期段階の大規模な採用の目標年として設定した。現状は NEV の産業化への投資が大きく先行しており、中国での完全自動運転

---

[25]　それ以前は「システムは十分余裕をもって運転をドライバーに戻す」という条件であった。

[26]　例えば 2018 年における Daimler。

[27]　独 BMW や独ダイマラー、独アウディ、スウェーデン・ボルボ、米 GM、米フォード、米フィアット・クライスラー・オートモービルズ（FCA）など。

[28]　そのなかで、GM のみ 2018 年、デトロイトモーターショーの前に商用化を 2019 年に前倒しする発表を行ったが、2019 年末に撤回した。

の開発はまだ初期段階にあるといえる。現在、アメリカと比較して中国では、Baidu（百度）、Pony.ai、トラックの TuSimple などに対して限定的に一部の都市での公道試験が許可されているのみという状況ではある。今後は中国で期待される ICT の大幅な高度化を背景に、自動運転技術の飛躍的な発展もみられる可能性がある[29]。

2．今、なぜ EV 化なのか？──中国における NEV 推進の背景

欧州における厳しい地球温暖化ガス排出規制

　現在、とくに海外で EV 化に関する議論が活発化しているが、現状 EV に対する巨大なニーズがあるとはいえない。実際のところ、市場ニーズはむしろ CO_2 の排出量の多い SUV（Sports Utility Vehicle）にシフトしており、最も規制の厳しい欧州でも、2017 年から 2018 年にかけてクルマ 1 台当たりの平均 CO_2 排出量は増加してしまった現状がある。国際的な EV 化の潮流は、一部の企業を除いて、地球温暖化に対して各国が政策的に強化している燃費規制への対応として推進されている傾向がある。現状、EV がさほど売れていない理由の一つとして、EV が大量に使用するバッテリー価格の高さが挙げられており、今後バッテリーの低価格化が重要な競争要因となる。

　その一方、欧州では 2020 年 1 月 1 日から、各社の出荷量の 95％のクルマが 1 キロメートル当たり平均 95 g 以上の CO_2 を排出すると、1 g 当たり 95 ユーロの罰金を払うことになる[30]。これを現状の各社の燃費レベルに当てはめると、自動車会社全体が 2021 年に欧州で払わなければいけない罰金が総額 3 兆円を超えると算出されている。なかでも、欧州で最も販売量の大きい VW は約 1 兆円の支払いが発生する可能性があると指摘されている[31]。そのため、早く EV を開発して市場投入しようというインセンティブが働き、

(29)　https://www.bloomberg.com/news/features/2019-05-08/china-s-robocars-are-being-lapped-by-their-u-s-competitors?srnd=hyperdrive

(30)　2021 年 1 月 1 日以降、全車両が対象になる。

(31)　https://www.bloomberg.com/news/articles/2019-06-26/europe-s-tough-new-emissions-rules-come-with-39-billion-threat?sref=egBSY9BS

2020 年に入ってから、VW は今後 10 年間の EV 車種、販売量目標を拡大し、以前発表していた今後の開発予算を 660 億ドル（約 7 兆円）に 36％増額した。

　これに対して、現実は 2019 年の欧州における EV の販売台数は、総新車販売 1580 万台のうち 50 万台弱でしかなく、比率は 3％程度であり、欧州各国は補助金や税制を利用し EV 市場の形成支援を行い[32]、これを 2025 年には約 250 万台、2030 年には 770 万台に跳ね上げようとしている[33]。

　一方、2020 年第 1 四半期の実績として、ドイツ、フランス、イギリス、イタリア、スペイン 5 カ国の BEV の販売は 7 万 9000 台となっており、2019 年第 1 四半期の 3 万 5900 台から 2 倍以上伸びた。これは新車販売総数に対する比率として、BEV と p-HEV を足して 14.8％であり、BEV だけでも 3.7％となる。比較として、中国では 2020 年第 1 四半期の実績は、BEV は 7 万 7000 台[34]で欧州 5 カ国計より少なかった。この欧州と中国での EV 化に対する形勢の逆転は、この時期における COVID-19 による地域ロックダウンが中国で 1 月末から 3 月上旬であったのに対して、欧州各国の地域/全国のロックダウンがおおむね 3 中旬から始まったという状況を反映している。だが、欧州では、その後の市場の戻りが緩慢であり、2020 年第 2 四半期の中国販売台数は前年同期を超えた。年間を通して両地域を比較する必要があるが、長期的にいえば、欧州と中国における EV（BEV と p-HEV）の販売比

---

(32)　ノルウェー：輸入税、付加価値税、年間道路税などの税金の免除が含まれており、地方自治体は無料駐車場、有料道路の料金免除、優先レーンの使用を許可。
　　　ドイツ：4 万ユーロ（4 万 4000 ドル）以下の EV は、国と企業から 6000 ユーロの補助金対象。
　　　オランダ：道路税の免除と EV の価格の最初の 5 万ユーロまで適用される低税率を組み合わせている。地方自治体としてアムステルダムでは、EV や配達用 EV バンの購入者に 5000 ユーロ提供。
　　　フランス：古い車を廃車し EV を購入する購買者に、6000 ユーロの買い替えボーナスを与える。パリでは、低所得者には地方政府が更に上乗せし補助金は 1 万 4500 ユーロに達する。
　　　イギリス：HEV への補助金を段階的に廃止し、BEV に対し 3500 ポンドの助成金とリベートを提供。バッテリー製造に対する投資も行う。
(33)　https://www.bloomberg.com/news/articles/2020-02-19/europe-floors-it-in-the-race-to-dominate-car-batteries?srnd=hyperdrive&sref=egBSY9BS（注：BEV と p-HEV を含む）
(34)　2019 年第 1 四半期の販売台数は 18 万 3300 台で 58％も落ちこんだ。

率や実際の台数は引き続き拡大する方向にある[35]。

中国の地球温暖化ガス排出規制は欧州を追って厳しくなる

　中国の排出規制の必要性は欧州以上に切実である。大気汚染は近年改善著しいものの、依然として渋滞による経済コストは莫大である。現状、中国は世界最大の原油輸入国であり、世界最大の石炭産出国かつ輸入国でもある。石炭の消費を抑えるエネルギーミックスをコントロールし、原油需要の増加を抑え、大気汚染を減らすことが急務であり、BEV、p-HEV、FCV を含む NEV の年間販売台数が 2025 年までに中国新車販売台数全体の約 25%[36] に達することが期待されている。これまで中国政府は 600 億ドル以上投資し、EV メーカーに減税と補助金を提供し、全国の数千の公共充電ステーションを設置してきた。現在中国はこれまでの購入インセンティブによる EV 販売の拡大に対して[37]、新しいアプローチとして 2021 年までに拡大される予定の排出量取引制度にともない、2017 年の段階で発電供給量の割合として 70% 近くを石炭火力発電に依存している状況[38]を改善し、平行して EV も普及させ CO_2 削減効果を高める予定である。こうして、政策的に EV 比率の拡大を狙う燃費規制は、2019 年 6 月に作成された図表 7-3 のように、引き続き欧州を追う形で国際的なレベルでみても非常に厳しいものになる。

---

(35)　https://www.bloomberg.com/news/articles/2020-04-24/europe-beats-china-in-electric-vehicle-sales-study-shows?sref=egBSY9BS

(36)　2017 年に発表されたロードマップでは、2025 年までに新車販売の 20% 以上を NEV が占めるとしたが、2019 年 12 月 3 日これを 25% に引き上げた。

(37)　2019 年 6 月、政府は EV 購入者への補助金を 7 万 5000 元（1 万 660 ドル）から 2 万 5000 元へ削減した。それ以来、EV の販売は 6 カ月連続で減少した。中国では、これまで EV の購入に対して補助金以外にもエンジン車では高額で購入しなければならないナンバープレートを EV では無料とし、EV とエンジン車の価格差を小さくしてきた。ただし、COVID-19 の影響を受け、2020 年 3 月 30 日時点で、中国政府は一時的に EV 生産比率目標を緩和する可能性があるものの EV に対する補助金を拡張することを検討し、購入税免税を 2 年間延長するとした。

(38)　https://www.iea.org/reports/key-world-energy-statistics-2019

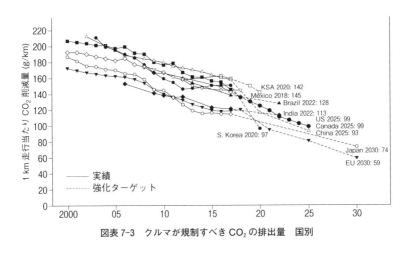

図表 7-3　クルマが規制すべき CO₂ の排出量　国別

中国自動車産業は NEV で自動車強国を目指す

中国では 1990 年代から進めていた積極的な外資導入と、国内自動車産業育成のための外資資本比率制限（外資規定）により海外からの自動車技術導入が強化された。2000 年頃、当時中国国務院にいた、Wan Gang（万鋼）氏が、「これまでのエンジン車では日米欧の企業に追い付くことはできない、しかし、まだ技術的に成功の可能性が不明確であるものの EV であれば日米欧とも差がなく、同じスタートラインに立てる」と考え[39]、日米欧を上回る自動車産業を構築するために、NEV に対する補助金や政府資金を投入することを提唱した[40]。

中国の年間自動車販売台数は 2000 年の段階で 207 万台で、2001 年には WTO に加盟し、「輸入数量制限」を撤廃[41]した 2005 年に 571 万台、2007 年に 888 万台と急成長し内需拡大とともに生産能力を拡大した。2009 年には、クルマがあまり普及していなかった農村部の需要を刺激する政策である「汽

---

(39)　「2030 中国自動車強国への戦略」p. 25
(40)　https://www.bloomberg.com/news/features/2018-09-26/world-s-electric-car-visionary-isn-t-musk-it-s-china-s-wan-gang?srnd=hyperdrive
(41)　中国国内で生産・販売されていなかった高級車やスポーツカーなどを輸入緩和。

車下郷政策」が導入された。中国の自動車市場の内需拡大を見越して、中国市場への参入を狙う外資系自動車会社は、中国企業と資本比率 50/50 のパートナーシップ（外資規定）を余儀なくされながらも中国に進出し、技術供与も行ってきた。そして、リーマンショックと前後し 2009 年には中国の自動車市場規模はアメリカを抜き世界最大の市場となり、2015 年には EV 市場としても世界最大となった。BEV、p-HEV、FCV などの NEV の販売は 2017 年に 77 万 7000 台に達し、2018 年は 125 万台を超えた[42]。

　現在は中国の政策決定諮問機関の副会長である Wan Gang 氏は、2019 年 6 月の段階で、「原油価格は依然として上昇し、渋滞はますます悪化し、現在は第 2、第 3 層の都市まで深刻になっている。中国の自動車産業がエネルギー、環境問題、交通渋滞を解決することができれば、まだ NEV には多くの拡大の余地がある」と引き続き述べている[43]（図表 7-4）。

中国の EV による自動車産業構築を後押しする Tesla と欧州企業

　中国は 2018 年、外資に対する投資規制を EV から撤廃することを発表した[44]。その結果 Tesla が中国に単独資本で EV の生産工場を建設することを決め、BMW は 2003 年からの中国パートナー（Brilliance Auto: 华晨宝马汽车有限公司、現在 BMW Brilliance）の大半を買収する動きが起った[45]。米 Tesla は 2019 年 1 月 7 日に上海郊外での工場建設を開始し、同年 12 月 30 日には中国生産の Model 3 の初出荷を行った。中国においてもこれは異例の速さといわれている。

　Tesla の上海工場は 2020 年年頭から 1000 台/週の生産能力から開始し、一度 1 月末の春節から次ぐ COVID-19 による稼働停止期間があったものの、

---

(42)　2019 年には 121 万台に減ったが、中国全体の販売量が 2808 万台から 2577 万台に減ったため、EV の比率はかろうじて増えた。

(43)　https://www.bloomberg.com/news/features/2019-06-13/elon-musk-is-a-pretty-good-friend-wan-gang-says?srnd=hyperdrive

(44)　NEV は 2018 年に、商用車は 2020 年に、乗用車は 2022 年に撤廃される。

(45)　日本の自動車会社を含む多くはこれまでのパートナーとの関係を重視するなどの判断から資本比率（50/50）を維持する考えを示している。

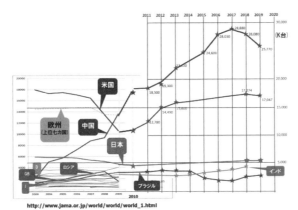

図表 7-4　自動車市場の国別規模

出所：筆者作成

停止前には 2000 台/週の規模に拡大し、3 月末には第 1 フェーズの目標とされた 3000 台/週の生産能力を達成した[46]。年央には 4000 台/週レベルとなり、これは年間 20 万台の生産能力を意味し、今後 25 万台の生産能力に加えバッテリーパックや電気モーターの生産ラインの追加も目指し、ローカルコンテンツの拡大と内製化も推進していると伝えられている[47]。Tesla は中国に工場をもつことにより輸送費を削減し、輸入税を回避し、競争力を高めることができる。ちなみに、2020 年 1 〜 4 月期の各社 EV（BEV と p-HEV）の販売台数は、BYD（2 万 5498 台）、Tesla（2 万 1059 台〈Model 3 のみで〉）、SAIC（1 万 6962 台）、GAC（1 万 624 台）、BAIC（7877 台）、NIO（6550 台）の順であった[48]。

　VW グループは 4 月 6 日の週に長沙の SAIC-VW 工場の操業を再開し、VW の国際戦略車である ID.3（BEV）の生産を開始した。VW グループの Audi は、やはり国際戦略車である e-Tron（BEV）を 2019 年 11 月に約 69 万 3000

---

(46)　https://electrek.co/2020/03/27/tesla-gigafactory-shanghai-production-amid-factory-shutdowns/

(47)　https://electrek.co/2020/04/08/tesla-look-inside-gigafactory-shanghai-robots/

(48)　VW は 4098 台で 12 位。中国系スタートアップの X-Pen は 2914 台で 13 位。Byton は年頭から操業停止している。

元で販売開始したが、中国現地生産を 2020 年年末に長春で開始する。Audi
は、2021 年末までに中国市場に 9 車種の EV を導入する計画であり、その半
分以上が BEV となっており、今後の中国市場での EV 戦略強化が見込まれ
る。

　BMW は 2020 年 4 月に遼寧省瀋陽市鐵西（铁西）区にある BMW Brilliance
の工場を拡張することを発表し、年間総生産能力を 65 万台に拡張し、そこ
で年間 15 万台の EV を生産する計画だ[49]。BMW の BEV としての国際戦略
車である iX3 はここで生産され欧州でも販売される。

　さらに、中国 Geely が親会社である Volvo Car の最初の BEV でありグル
ープの国際戦略車である Polestar 2 は中国で生産され、2020 年内には欧州
のみならずアメリカでも販売される予定だ。一方、VW の ID.3 や BMW の
iX3 はアメリカでは市場導入される予定が現状ないとされている。

　ここで大きなリスクに直面しているのは、まだ成長過程にある中国系 EV
スタートアップ企業だ。約 20 万元（300 万円程度）で低価格なセダンを提供
するとされてきた NIO、X-Peng、Byton などの新興 EV メーカーのなかに
は、2019 年 6 月以降の中国自動車市場の落ち込みにより、これまで得た潤沢
な投資で開発まではこぎつけても、量産前に資金が不足する状況に陥ってい
る企業が出てきた。さらに、予測よりも早く現地生産化され価格競争力も付
けた Tesla と、これから急速に量産体制をとる欧州系 EV 車種からさらなる
打撃を受ける可能性が指摘されている[50]。

　2018 年に世界最大の売り上げ[51]を誇った独 VW Group では、かねてより
VW 本体の売り上げの半分が中国での販売による。EV 化は、欧州域内での
燃費規制への対応と同様、NEV 化を促進する中国市場においても EV への
シフトは死活問題になっている。今後の EV 化に VW の社運を賭けた最初の
廉価 BEV である ID.3 は独ツヴィッカウで 2019 年 11 月から生産が始まって

---

(49)　https://electrek.co/2020/04/03/bmw-starts-construction-of-china-plant-where-all-electric-3-series-is-planned/

(50)　https://www.chinadaily.com.cn/a/202001/13/WS5e1bb11ea310cf3e35584049.html

(51)　2019 年はトヨタが世界最大。

おり、2020 年夏から出荷が開始され、同年には中国の二つの工場でも生産を開始する予定[52]だ。

　こうしたなか、中国企業の BEV として注目を集めてきた NIO は、2019 年 6 月に販売開始した ES6 がその後数カ月間、着実に出荷が増加していたが、中国市場の縮小と ES8 の苦戦により、2019 年には業績が大きく下降した。EV セダンの計画を無期限延期し、上海近くに工場を建設する計画を破棄し、2020 年 2 月末、14 億ドル相当の事業取引を安徽省合肥市と発表した。

　中国で生産される Tesla の急速な立ち上がりは、Tesla から取り残された者同士の低価格競争に入るしかないという懸念を生じさせ、中国の EV 産業は ICE のクルマによるこれまでの自動車産業と同じ運命を繰り返すことになりかねないという危惧も中国メディアから挙げられた。しかし、引き続き中国市場は巨大であり Wan Gang 氏が指摘するように EV 市場はさらに拡大する余地も十分ある。

　現在、中国企業は生産への移行に課題を有しているものの、すでに国内市場で蓄積した EV の設計や開発能力をもっている。ここで、今後 Tesla 社の上海での生産がフル稼働になる前に、開発、製造、ブランドを急速に改善する必要に迫られているものの、Tesla や VW の動きは、むしろ中国企業の成長を引き続き刺激する結果にもなっている。

EV をバッテリーの生産からおさえる（バッテリーはキーコンポーネント）

　すでに指摘したように、現状国際的に EV が売れない理由の一つとして、価格の高さが挙げられる。それはおおむねバッテリーの値段に理由がある。2010 年のバッテリーの値段は、1 KWh 当たり約 1000 ドル程度であった。しかしその後、毎年 15〜20％程度安くなり、2020 年の予測価格は 135 ドル/KWh 以下であり、2025 年前後[53]で EV のほうが ICE のクルマより安くなると一部の市場調査会社が予測している。バッテリーが安くなればある段階か

---

(52)　https://www.theverge.com/2019/10/23/20929529/tesla-full-self-driving-release-2019-beta

(53)　値下がり率は鈍化しているといわれている。

らICEのクルマよりもEVが安くなり、急激に市場がICEからEVにシフトする可能性がある。

　現在、中国はEV世界市場の約半分を販売しているが、それでも2019年の中国国内の全新車販売台数におけるEV比率は5％弱だった。そのうえで2019年12月3日、中国産業情報技術省は2025年までにNEV（BEV、p-HEV、FCV）比率を25％に引き上げると発表[54]し、それまでにNEVとしてBEVが主流となり、FCVが広く利用可能になり、公益事業部門で使用されるすべての車両は電気で動くとした。また、2021年までに今後EV購入時の補助金を段階的に削減する予定であったが、2020年1月13日に2020年内は補助金のさらなる削減をしないことを確定し、現時点ではむしろ延長を検討しているとする記事もある。

　現在、世界で最も売れているEVはTesla Model 3である。新車に対しても、さらには販売後のクルマに対しても、インフォテインメント系（「情報の提供」と「娯楽の提供」を実現するシステムの総称）はもとより、充電システムや走行に関するソフトウエアもOTA（Over the Air、無線）でアップデートし、クルマの性能を購買後も向上する。販売価格には将来ソフトウエアで実現する予定の"完全自動運転機能"分も含まれており、つねにクルマの魅力を向上させて顧客を惹きつけている。従来のクルマと異なり、販売時点からクルマのライフを通して「今後の技術強化」というある意味バーチャルな価値も組み込んで販売している。

　そして、Teslaは中国で2020年初頭からModel 3の量産を開始した。同時に、LG ChemとCATLとリチウムイオンバッテリーの供給契約を結んだ。バッテリーの安定供給はEVの量産に不可欠である。Audiは2019年BEVを出荷開始したが、出荷開始前いくつか問題が発生し、船出が難航した。その原因の一つとしてバッテリーの技術問題によるリコールや入荷問題による生産の立ち上げの遅れが挙げられる。今後、欧州のその他の企業でも同様の問題が起こりかねないこともあり、現在EUでは中国や韓国のバッテリー会

　（54）　https://www.bloomberg.com/news/articles/2019-12-03/china-raises-2025-sales-target-for-electrified-cars-to-about-25

社を欧州域内に誘致するだけではなく、欧州企業としてもバッテリーを産業として育成しようという動きが出ている。

　また、ICE から EV 化する場合の不都合な真実の一つとして雇用の減少が大きな課題となる。EV 化で部品数が減り、作業工数も減り、欧州では今後 10 年間で 7 ～ 8 万人の雇用が減ると見込まれていた。EV 化と自動運転の開発投資は、自動車メーカーの収益率をさらに圧迫し、メーカーはコスト削減計画に注力してきた。人員削減のペースは COVID-19 以降、さらに顕著になると予想される。

　こうした、ICE から EV へのシフトで削減される自動車会社の雇用の一部はバッテリー生産に回すこともでき、欧州域内でグリーンな産業を育成するという点からも、望ましいとする考え方もある。さらに、EV の今後の莫大な生産量を賄うためには、バッテリーはリサイクルしなければならない[55]。古くなったバッテリーから金属を抽出して、それを新しいバッテリーを造るために再利用する議論が欧州と中国で急激に高まっている。こうした新技術でも新しい雇用が創出される可能性もある。

　バッテリーリサイクル事業で、最近その最右翼として注目されているのが、2001 年深圳に設立された GEM 社だ[56]。中国国内にすでに 15 の工場をもち、アフリカと東南アジアのコバルト鉱山とニッケル鉱山からの原料からクルマのモーターに至るまで広大な金属サプライチェーンを構築している。同社はすでに世界最大の電池からの金属リサイクル業者にもなっており、世界の自動車メーカーが EV 化するために必要とする高純度ニッケル、コバルト、リチウムを、リサイクルで抽出する。そのほかに GEM 社の事業範囲には、インドネシアの輸出禁止[57]を回避できるニッケルのインドネシア工場も含まれ、これは今後のリチウムイオンバッテリーの供給問題に対して重要な意味をもつ。

---

[55]　中国では EV の販売許可を得るために、EV 自体の回収スキームを提示しなければならない。

[56]　https://www.bloomberg.com/news/articles/2019-11-25/meet-the-professor-whose-firm-is-helping-fuel-the-future-of-cars?in_source=postr_story_3

[57]　2019 年初頭からインドネシアからニッケルが禁輸となった。

そもそも、リチウムイオンバッテリーの工業化は日本が進めたものであり、生産プロセスは半導体製造に近いものがある。その半導体産業では日本が強かった歴史がある。DRAM の設備投資は世代が上がるたびに、設備投資が30％から50％増加するため、日本企業は、16 Mbit 世代を生産する頃から設備投資を控え、それ以降一気に半導体産業が衰退した。今回バッテリーに対しても同様な状況にあるとも危惧され、欧州と同様に早急にバッテリー産業を強化拡大するための、継続的な投資を日本でも検討しなければいけない状況にあることは明らかだ。

3. 国際的な自動車市場の変化

新興国ではライドヘイリング市場が急拡大している

　2017 年の米ストラテジック・アナリティクスの調査によると、Uber のようなライドヘイリングサービスを 1 週間に 1 度以上利用する人が、欧米で20％であるの対して、中国では 49％となっている[58]（図表 7-5）。欧米では 1軒に 1 台以上のクルマを所有しているのに対して、中国のクルマの所有は現在でも 3 軒に 1 軒程度である。クルマをもっていなければ誰かに乗せてもらいたいと考えるかもしれない。こうした状況が DiDi（滴滴）のようなライドヘイリング企業が、Uber 同様、スマホを介して「乗りたい人」と「乗せたい人」をマッチメイキングするライドヘイリング市場を急拡大させる要因となった。2019 年夏時点で、DiDi の登録ユーザー数は 5.5 億人、登録ドライバーは 3100 万人[59]おり、年間トリップ数は 100 億回という[60]。そしてクルマを所有していないドライバーがクルマを借りて運航しているケースが増えている。

　2018 年の国別自動車市場として中国、アメリカ、日本、インド、ドイツ、

---

[58]　Strategy Analytics, "Ridesharing Frequency and Future Vehicle Purchase Intention of Current Vehicle Owners". 他の調査会社のデータでもおおむね 20％程度である。

[59]　https://www.cnbc.com/2019/08/05/chinese-rideshare-giant-didi-makes-big-move-in-driverless-car-race.html

[60]　https://expandedramblings.com/index.php/didi-chuxing-facts-statistics/

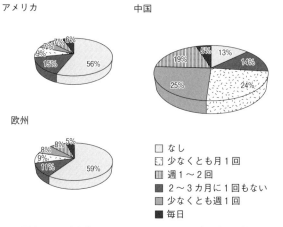

図表 7-5　欧米中におけるライドヘイリングの利用比較

イギリス、フランスに次ぐ世界第 8 位のブラジル[61] では、60 万人の Uber ドライバーがおり、その 3 分の 2 が自分のクルマを所有しておらず[62]、レンタカーを借りてライドヘイリングの仕事を行っているという。ブラジルでのクルマの販売台数は 2012 年の約 380 万台が過去最大であり、その後 2018 年には約 256 万台まで減少している。そのなかでも、同時期小売が約 285 万台から 133 万台へ激減し、フリート販売台数（レンタカー会社の購入などが含まれる[63]）が約 25％から約 48％へと増大した。個人所有の場合、1 台のクルマは 1 人、その他せいぜい家族が利用するだけだが、ライドヘイリングになると、1 台のクルマは 10 名以上の移動を賄う。そして小売が縮小し、大量購入により大幅なディスカウントを求められるフリート販売の比率が拡大し、2012 年以降自動車会社の経営を大きく圧迫した。この傾向は COVID-19 以前の中国の一部でもみられた。図表 7-6 に示す 2017 年以降の自動車の世界

（61）　Uber は 2014 年にブラジル市場に参入し、現在 80％の市場シェアをもち、Uber としてアメリカに次ぐ第 2 位のユーザ規模を誇る。

（62）　https://www.reuters.com/article/us-uber-autos-insight/how-uber-drains-carmaker-profits-in-latin-americas-biggest-market-idUSKBN1YF12I

（63）　ロイターによると、Uber と DiDi は、レンタカー会社がドライバーにリースする車を購入することを奨励し、自動車メーカーとの購入レバレッジを高めている。

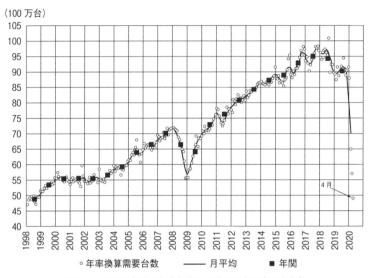

（100万台）

図表 7-6　季節調整済み年率換算した世界の自動車販売台数
出所：https://lmc-auto.com/news-and-insights/public-data/global-light-vehicle-sales-update/

販売台数減少の大きな要因は 2017 年以降の中国自動車産業の低迷に負うところが大きいが、ライドヘイリングの増大の影響も大きい。

　アメリカにおいても Uber や Lyft からフルタイムでライドヘイリングを提供しているドライバーは、仕事場であり仕事道具であるクルマを個人で小売で購入するのではなく、ライドヘイリングプロバイダーからバラエティに富んだ好条件でクルマをリースやレンタルする傾向がある[64]。さらに、1 軒当たりのクルマの所有台数が 1 台未満の新興国では、ライドヘイリングを提供するドライバーはレンタカーやモビリティ事業者からクルマを借りて事業を行い、モビリティ事業者やレンタカー会社はクルマ会社からフリートとしてクルマを大量に安く購買する。ブラジル人がクルマの購入を諦める第一の理由が個人的な財政難であり、第二の理由が Uber のような交通手段の出現であることが示されており、この相乗効果でクルマの小売販売台数は新興国で

　（64）　https://www.autonews.com/commentary/ride-hailing-could-offset-decline-sales

減少している。Uber や Lyft、Yandex、Gett などはそれぞれの地域で人気があり、中国での DiDi や東南アジア（Glab や Gojek）やインドでのライドヘイリングの成長は、先進国での成長率をはるかに超えている。

　こうした動きは、COVID-19 が自動車市場に大きな打撃を与える前から明確であったが、すでに、COVID-19 はリーマンショック以上の打撃を経済に与える可能性が指摘されている。それがさらに長引き、あるいはその後も継続的な新型感染症の再発や拡大があるとすれば、先進国でもクルマの個人所有が減り、現在の新興国や途上国でみられるような、小売からフリートへの移行が進み、クルマ会社の販売台数減と収益減がダブルでやってくる可能性もある。自動車会社は、レンタカー事業やモビリティ事業も取り込み、自社の利益を確保する重要性が増す可能性もある。

今後国際的に CASE/MaaS が拡大する主な理由

　CASE と MaaS の拡大理由として、おおむね以下の５点が挙げられる：

① 新興国、途上国を含み、国際的に都市部に人口が移動する傾向があり、渋滞が増え駐車場が不足する一方、公共交通の利便性が高い都市部におけるクルマを所有するインセンティブが低下。

② スマホなどの高速モバイル通信の市場浸透によりシェアリングエコノミーが発達し、同時に移動時間の有効活用が求められるようになった。これらに高い利便性を提供する新しいライドヘイリングの輸送ビジネスモデルが国際的に急拡大。

③ 高齢化するタクシードライバーや、拡大する e-Commerce による宅配の増加によるトラックドライバーの人手不足などに対し労働負荷を軽減する運転の自動化の必要性。

④ 高齢者や交通弱者などの移動のライフライン確保。

⑤ エネルギー安全保障、公害、渋滞問題、死傷事故による医療コスト、公共・私有財産の遺失などの社会コストの低減。

COVID-19 の影響で、①は今後、電動自転車や e-スクーターなどを含む、モビリティの多様化をともなう進化に発展する可能性が指摘されている。これらは先進国に限らず、今後経済がさらに発達する新興国や途上国では、クルマとの関係を個人所有よりも、ライドヘイリングやシェアリングで構築する傾向をともないより顕著に表れる可能性が高い。すでに述べたように、世界最大の自動車市場をもつ中国においては⑤の社会的なニーズが高く、政府を挙げて各種施策を打ち、クルマを ICV と NEV へと転換し、国内自動車産業の拡大を支援している。

　さらに、クルマの個人所有からライドヘイリングへの移行は、産業構造を大きく変える可能性がある。個人が所有するオーナーカーはおおむね 1 日に 1 時間、すなわち 4 ％しか稼働していないのに対して、ライドヘイリングなどのモビリティ事業に利用されるタクシーなどのサービスカー（フリート）は 1 日 10 人以上の移動ニーズを満たすと想定されており、稼働率は 10 倍の40％以上になる。これは、クルマとしての耐久性が同じである場合、ライフサイクルが 10 分の 1 以下の 1.5 年程度となる可能性があることを意味する。

　そして、サービスカーは嗜好性よりも効率性が求められ、製造は量産効果による利潤を追求し、必然的に製造業者は寡占化する。しかし、こうしてクルマの年間総生産台数は今後減るとしても、サービスカーのライフサイクルからすると 1.5 年後には再生産する必要があり、それにより、寡占化した少数の企業の生産量は拡大する可能性があり、新しいビジネスチャンスになりうることに注目が必要だ。とくに EV の場合はエンジンをもつ ICE のクルマよりも部品数や工程数が少なく、さらに量産効果が大きいので、寡占化プロセスに初期から参入した企業が圧倒的な優位に立つ可能性がある。

ICT の発達が MaaS を拡大する

　2000 年頃にガラケーが生まれ、固定回線は ADSL に変わり、インターネットは固定回線もワイヤレス網もブロードバンド化され、急激に市場浸透した。2010 年には、ほとんどすべてのパソコンはインターネットにつながった。すなわちこの 10 年間で一気にインターネットが日常に普及し、生活のあら

ゆる局面が変わり、企業や産業のあり方が大きく変わった。

　そして、2010 年に登場した iPad は、インターネットを見たりインターネットのサービスを受けたりするのに、パソコンでなくてもいいという認識を広めた。一般に「インターネットはスマホで見る」と認識が大きくシフトしたのはそのすぐあとだ。その拡大するスマホユーザーをターゲットに、あらゆる種類のアプリがソフトウエアコンポーネントとしてインターネット上に生まれ、それらを相互に Web API（Application Programming Interface）としてつなぎ合わせ、一つのソリューションとして再パッケージングすれば、まったく新しいサービスを開始できるという状況が 2011 年以降生まれた。

　これがさらに進化し、クラウドという表現が生まれ、サービスや商品のつくり方が大きく変化した。クラウド端末の開発は、ハードウエアをつくり、HTML5 などを載せておけば、あとからソフトウエアでいろいろな機能を追加できるようになり、ウェブ上だけでサービスや事業が管理できる状況が生まれた。ユーザーからみると、用途に応じて端末を選び、クラウドにアクセスすれば目的を達成する、という世界感が構築された（図表 7-7）。

　その延長線上で 2015 年頃までに、ビジネスモデルやあらゆる種類の産業がクラウド上に移行し始めた。交通の代表例が Uber だ。タクシーという資産をもたずに、乗りたい人と乗せたい人をクラウド上で SNS 的にマッチメーキングすることで "タクシー事業" ができてしまう。さらにそれが、クラウド上で実現されていることから、一気に国際的に拡大した。こうしてこれ以降、事業モデルをクラウド上でプログラミングすれば新規事業を立ち上げることができる、という事例が増えた。

　デジタルの世界では、製造過程における付加価値は少なくなる。エンジンのような技術は他社の製品をうまくコピーしてもまったく同じ性能を作り込むことは困難だというアナログ的な性格をもつ。一方、例えばサービスを実現するソフトウエアも静止画や動画と同様、0 と 1 の羅列のデジタルである。エラー修復機能が内在しており、コピーしても完全に復元可能であり、品質が劣化せず、第三者の開発した機能を容易に取り込むことができる。

　デジタルの世界では、ネットワークを介してアプリとしてサービスを実現

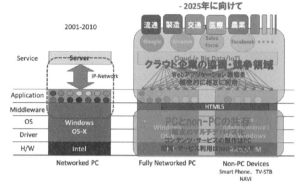

図表 7-7　ICT の発達による産業構造の変化

出所：筆者作成

するソフトウエアをダウンロードし、手元の端末をアップデートすればいい
ので、ロジスティクス（原材料調達から生産・販売に至るまでの物流）コス
トも僅少だ。同様に限界コスト（生産量の増加分1単位当たりの総費用の増
加分）も僅少である。ほぼ無料でユーザーを増やし、可能な限り多くのユー
ザから集めたデータを分析してニーズを把握し、日々ソフトウエアをアップ
デートし、ユーザーロイヤルティを高め、さらにユーザーを拡大する。開発
側はサービスを実現するセンサーの高度化やコンピューターの計算能力を高
め続ける。こうしてスマイルカーブ（図表 7-8）でいうところの両極が重要に
なる。

　莫大なデータを解析するためにクラウド上でビッグデータの扱いに必要な
ファイルシステムや分散型の計算手法やディープラーニングが高度化し、サ
ービスが多数生まれ、それらを実現するソフトウエアの各要素がどんどん高
度化し、一つ一つのサービスがどこからでも利用可能な部品のようにソフト
ウエアがクラウド上でコンポーネント化（部品化）する。それらを実現する
端末側やデータセンター側のハードウエアも進化して、センサーデータが神
経系のように発達し、ユーザーデータの処理能力が頭脳として発達しクラウ
ド上でつながる。これがリアルとバーチャルのデジタルツイン（実空間と仮

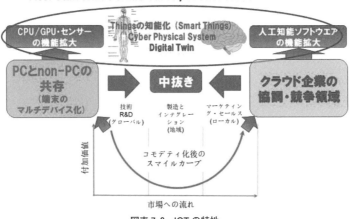

図表 7-8　ICT の特性

出所：筆者作成

　想空間の写像関係）を形成し、Society5.0 といえる空間を生成する。さらにこうしたデジタル産業においては、究極的に中間の製造工程は中抜きされ、完成品製造会社はシステムインテグレータ（個別のサブシステムを集めて一つにまとめ上げ、それぞれの機能が正しく働くように完成させる企業）と化す。

　MaaS は、こうした ICT や IoT の動きに則って生まれた。Uber は乗りたい人と乗せたい人をスマホを介してデータセンターで結び付けた。"私はここに行きたい"とスマホに目的地を入力するだけで、データーセンターで交通状況や需給バランスなどを予測し、然るべきドライバーがアサインされる。スマホでアプリを立ち上げただけで、例えばサービスを利用しなくても、ユーザーの移動に対する意向の発生分布がわかる。操作したり入力すること自体がすでにデジタルデータであり、そのままコンピュータの処理対象となり、データベース化される。これはまさに SNS だ。

　さらに、指定されたドライバーがクルマを運転してユーザーに近づくと、その行為だけでデータが生成され、ドライバーの位置情報が逐次ドライバー

のスマホからクラウドに送信され、Google マップを経由して、ドライバーの位置がユーザーの Uber アプリ上に表示される。ユーザーにはクルマの車種や色、ナンバー、ドライバーの写真、電話番号などが送信されており、「今あそこを曲がって来たあの白いクルマが自分の乗るクルマだ」といったことがわかる。

乗車中も、Google マップの機能により、ユーザーはドライバーに目的地や経路を説明する必要はなく、また移動中の実際の経路もスマホ上でドライバーと共有され、また合意されているので、見知らぬ土地でも間違った方向にクルマが走っている可能性などへの懸念が軽減される。また、目的地に着く前に決済が終わるが、こうした地図や経路案内機能や課金機能を提供するシステムを Uber のようなサービスプロバイダーがつくる必要はなく、クラウド上にある第三者のソフトウエアのコンポーネント（部品）を Web API でつなげるだけで、新しい Uber というタクシー事業ができてしまう。こうした認識が今後の産業構造における事業の考察に対して非常に重要だ。

今後は、人間だけを運ぶのではなく、貨客混載や人のかわりに物だけを運ぶということも起こる。さらに、スマホの発達により、鉄道やバスや自転車、スクーターなどの位置情報も、それらの利用者のスマホデータから個人を同定しない形でデータセンター上で解析することにより、運行事業者等から情報を得ることなしに正確にわかるようになる。そうした情報から、あらゆる移動体を組み合わせて、ユーザーがA地点からB地点まで行くのに、最も安い、早い、あるいは快適などという移動のオプションを提示する。スマホでユーザーが提示されたオプションを選択するという行為自体がまた情報となり、ユーザーとサービスをさらに改善することも可能となる。

もう一つ非常に重要なことは、クルマが EV になると蓄電池として電気エネルギーを移動させることができる点にある。EV は近い将来 1 台当たり80 kWh（キロワットアワー）程度の電気容量を積むことが見込まれる。これは 4 人家族が 1 週間から 10 日程度で使う電力量である。今後、世の中で天候などに依存しやすい再生可能エネルギーによる電力供給の比率が増えると、電力供給の安定化のため蓄電が不可欠になる。まさに MaaS で利用され

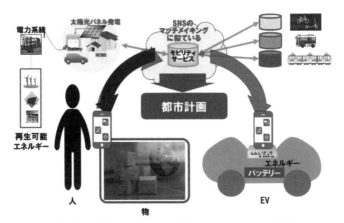

図表 7-9　モビリティサービスが人・物・エネルギーを運ぶ
出所：筆者作成

る EV は移動する蓄電池として充放電を管理することで、エネルギー供給を安定化させる可能性があり、これも MaaS に組み込まれる（図表 7-9）。

　こうして MaaS プロバイダーがクラウド上にリアルの世界のバーチャルな写像（デジタルツイン）をつくり、人と物とエネルギーの流れを把握するようになり、さらには今後の都市計画に多くの情報を提供することも可能になる。それが MaaS の本質だ。

　中国では、GAFA（Google、Amazon、Facebook、Apple）のかわりにBAT（Baidu、Alibaba、Tencent）がそれらと同様の Web サービスを提供している。スマホアプリの地図に関しては、おおむねアメリカで Google とApple が提供しているが、中国では BAT の各社それぞれが、Ritu、AutoNavi、NaviInto などの旧来のナビ地図会社を取り込み、それぞれ地図機能の高度化を進めている。さらに、ユーザーとクルマに対して目的地や経由地を考慮した配車を行う場合、計算量はデータ量の階乗に比例し、人口の多い中国の場合は天文学的な計算規模になる。配車の最適化はライドヘイリング事業のコスト削減、すわなち利益拡大になるため、量子コンピュータの導入も必然的になる可能性もある。また、ライドヘイリングの利用者が次のユーザーから次のユーザーへと連鎖的に利用権を効率的に移行させるために

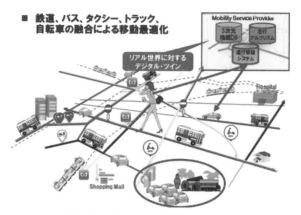

図表 7-10　モビリティクラウドの構築

はブロックチェーンのスマートコントラクト（契約の自動化であり、契約の条件確認や履行までを自動的に実行させることができる）などの技術の導入も必要となる。こうして、人口が多くそれに比例してサービスが拡大する中国ではこうした新技術の開発が他国を凌駕し進む可能性もある（図表 7-10）。逆に、データ数としての人口が少ない日本では、そうした技術開発や市場投入の必然性が低く、サービスレベルを高度化する技術開発が進まない可能性が危惧される。

深圳は中国のシリコンバレーであり EV 化の最前線

　1980 年、鄧小平は深圳市を「中国初の特別経済圏にする」と宣言した。その後、自動車、高速道路、トラック、バス、工場、発電所、輸送施設、電車、無数のバイクなど、絶え間ない騒音が拡大し、2003 年に燃料動力のバイクを禁止した。それにとってかわったのが、電動バイクであり、街の大部分を免許なしで乗ることができ、非常に人気となった。しかし、電動バイクは非常に静かであり、ライダーは交通法違反を起こし歩行者にぶつかり歩行者には脅威となった。最終的に市当局は電動バイクを禁止し、一度 50 万台程度のバイクが廃棄されたが、強制的な一掃にもかかわらず、その後多くの電動バ

イクが市中に戻ってきた。

　過去 30 年間、驚異のスピードで、深圳は先進国の大都市を凌駕する最先端の都市になった。現在の深圳では、バス、自転車、スクーター、タクシー、さらにはダンプトラックまで EV 化され、騒音を低減した。さらに新幹線、フェリー、そして新しい巨大な空港が深圳を世界につないでいる。

　こうして、中国では NEV 化を、国家の権限、製造業者への助成金、そして都市間の政策競争の促進により、政府トップダウンで進めている。中国政府は化石燃料の輸入を減らすとともに、都市化の拡大に対処する戦略の一部として、2009 年に公共交通システムの電動化を優先し始めた。一連の包括的な政策、規制、および補助金を導入し、そこから新しい産業が生み出された。10 年経過した今日の結果は明白で、中国はバスなどを含む全種類の EV の世界最大の市場となり、深圳は大都市規模で ICE を NEV に置き換える最前線にあり、世界的リーダーとなった。

　1990 年代にはボックスサイズの携帯電話やデジタルカメラ用の電池や関連電子部品の製造業者であった BYD は、2002 年に Tsinchuan Automobile Company を買収し、BYD Auto を設立し、自動車（ICE）の製造販売を開始した。その後 2008 年に米ウォーレン・バフェットからの 2 億 2300 万ドル（240 億円）の投資もあり、中国政府の NEV で世界の自動車強国になるというマスタープランとも合致し、BYD は中国電動化の先駆者となった。2019 年には中国で月間最大 3 万台の EV や HEV を販売する企業に成長した。また、BYD は深圳の約 1 万 6000 台のバスをほぼ独力で EV 化し、その後タクシーとトラックの EV 化を急速に進めている。また、2019 年にはトヨタと共同で EV を製造する JV を設立することを発表した。

　Bloomberg NEF によると、全中国のバスの 18％ が電動化されている。2018 年に世界の e-バスの台数は約 32％ 拡大し、そのはとんどが中国で走る。中国政府は強力な政策を迅速に実施し BYD は e-バス市場を一気に構築した。2018 年末時点では、世界中の e-バス約 42 万 5000 台のうち、約 42 万 1000 台が中国で走っていたという。そして中国政府の戦略では新規購入はすべて e-バスになる。中国の市営 e-バスの数は 2025 年までに 60 万台以上になる

と予測される一方、アメリカでは高々5000台近くになると予測されるレベルだ。現在BYDのバスは世界の約300都市で使用されており、同社は今後3年以内に欧州でのe-バス販売を毎年2倍にすることを目指している。

　アメリカでの公共交通でe-バスの導入が進まないのは、e-バスは既存ディーゼルバスよりも維持費が安いものの、多くの交通機関で新規購入とメンテナンスが別々に予算化されている現状から、e-バス導入メリットが予算化の段階で訴求できないからだという話もある。中国では、新興都市はおおむね1990年以降の急速な近代化のなかで、空白の土地に路線を構築しているケースも多く、過去からのレガシーシステムの変化に抵抗する既得権益者や官僚組織がなく、新しい自動車産業の構築が進めやすいという一面もある。

　中国政府はEVの生産に中国で製造されたバッテリーを使用するための補助金を段階的に廃止し、韓国のLG Chemなどの中国以外のバッテリーメーカーも中国国内の企業と対等な立場になりうるオープンな政策に変更した。その結果の一つとして、Teslaは最近のCATL（Contemporary Amperex Technology）との契約以前にLG Chemの中国工場からバッテリーを購入することを決めた。

　こうした厳しい競争のなか、BYDやCATLは中国のEVの生産拡大のために急速に生産増強を行っている。BYDの2018年のバッテリーの総生産能力は28 GWhで、2019年に48 GWh、2020年に60 GWhへと増強する計画であるのに対して、CATLは2020年完成予定の24 GWhの工場を加えれば生産能力は88 GWhとなるといわれている。

4．おわりに

　今回、COVID-19の影響もあり、国際的には地球環境変化への対応としてEV化の緊急性は日本国内で認識されているよりも圧倒的に高い。この傾向は、これまでも国を挙げてEV化による自動車強国を目指してきた中国においては追い風になる可能性がある。

　また、COVID-19以前からとくに新興国ではライドヘイリング等を通した

サービスカーの拡大が自動車産業の構造を大きく変えつつあったが、今後は With コロナの社会的変容とともに、モビリティー事業者がサービスカーを資産化し、リアルの世界の航空、鉄道、バス、タクシー、自転車、スクーター他の移動体を含め、物と人とエネルギーの動きをクラウド上にデジタルツインとして写像し、MaaS を介してすべての移動の最適化を行う立場に立つ可能性がある。

　あらゆる移動方法を最適化しながら拡大する MaaS の発展により、クルマのオーナーカーとサービスカーへの二極化が引き続き拡大する可能性があり、両者の製造・販売戦略はまったく異なる。

　これはまさに、ヒト、モノ、エネルギーの移動を提供するモビリティ事業の DX（デジタル・トランスフォーメーション）であり、他産業の DX 化も交え、日本国内のみならず、世界全体であらゆる産業横断的かつ早急に取り組むべき課題である。

　モビリティ事業を実現するインターネットの世界、すなわちデジタルの世界では、研究・開発、製造、販売・マーケティングという製品やサービスの「市場への流れ」と付加価値の関係がスマイルカーブで表現される。そこでは、「市場への流れ」の両端に存在する技術・R&D とマーケティング・セールスが高い付加価値を生む。最終的にはマーケティング・セールスの段階で、いかに莫大なユーザー数を抱え、大量のデータを集めて分析するか、そしてそれを分析するだけの計算能力やセンサーを技術力や R&D を高度化するか、これが今後の重要な競争力になり、これが DX さらにはデジタルにおける競争の本質だ。

　自動車産業においては NEV で欧米の企業も誘致しながらも、ゼロスタートで次世代自動車技術の構築準備を行い、そこに近年のアメリカと双璧をなすデジタル情報通信技術を利用した ICV 化を進め付加価値を高めようとする中国は、COVID-19 で加速された自動車とモビリティ産業の融合において、非常に高いポテンシャルを持っていることは明確である。日本企業は昨今の激変する競争環境のなか、これまでの国際競争の中での立ち位置や、これまでとはまったく異なる戦略的思考を再考してみるべきときが来ている。

第8章

治にいて乱を忘れず　任正非のファーウェイ

任正非　ファーウェイ創業者 CEO の経営哲学と 176 カ国グローバル展開における人と組織のマネジメント

中川有紀子

　近年、通信設備機器の国際市場で売上高世界 1 位（携帯電話基地局において世界の 31％のシェアを占める）になり、スマートフォンなどの端末機器市場でも、2020 年第一四半期の世界出荷台数が、アップルを抜き、サムスンを脅かす世界 2 位になったファーウェイ（2019 年度 総売上高 13 兆円、対前年比 18％増、時価総額 19 兆円）は、中国・深圳市に本社をもつ創業 31 年の非上場民間企業の通信機器メーカーである。2010 年代では主流の 4G でアメリカ企業が通信世界を制するも、2019 年以降の 5G では関連特許を世界で最も多く有するファーウェイが主導権を握るとの見方が出ており、アメリカ政府が危機感を覚え、2018 年アメリカ防権限法によって、アメリカ政府調達から排除されている。

　2019 年にはアメリカ政府商務省安全保障局のエンティティリスト（禁輸措置対象リスト）に掲載され、事実上のアメリカ製のハイテク部品、ソフトウエアの供給禁止措置対象となっている。アメリカ政府側の言い分は、「顔認証システムであれ、ルーターであれ、中国メーカーは、中国国内で活動するためには、中国共産党とデータを共有することが求められ、製品のなかにそれを実現するための仕組みが組み込まれている、よって、問題視している」、ということらしい。ここで注意したいのは、ファーウェイの問題は、一企業としての問題ではなく、中国共産党と中国メーカーの関係性における問題であると認識する必要があるというのがアメリカの言い分であるということだ。

　一方で、ファーウェイをはじめとする中国製品に本当に安全保障上の重大問題が存在しているのであれば、他の中国メーカーも同じ対応となるはずだが、国防総省などの政府機関は、いまでも多数の中国製品を購入している[1]。

また、半導体の米クアルコムや米インテルも途切れることなく、ファーウェイに半導体関連部品を出荷し続けている。

そして、2020年1月、イギリス政府は、中国の通信大手華為技術（ファーウェイ）などの製品を一部容認すると発表、フランス・ドイツも、次世代通信規格「5G」移動通信ネットワーク関連の契約からファーウェイなどの中国の業者を完全に締め出すことはしなかった。安全保障をめぐる米トランプ政権からの警告も、EUに中国政府を挑発するリスクを冒させるには至らなかった。この判断については、われわれ日本企業は冷静に議論すべきである。

大前研一は、「ファーウェイは、企業として非常に優秀で、特に5Gの技術には特筆すべきものがある。北欧勢の企業に唯一対抗できる企業と言って良いだろう。アメリカや日本の企業にとっても安価で優秀な技術を持っている企業なので、本来使いたいはずである。しかし、そのためにはファーウェイは中国共産党とのつながりがなく、安全であることを自ら証明できないといけない。それを実現するには、会社を「中国国内向け」と「世界向け」に分けるしかないと考える。そして、世界向けの会社は、ボードメンバーから技術者に至るまでグローバル人材を揃え、完全に別の企業として経営する必要がある」と提案している[2]。

そして、2020年2月、ファーウェイは「目下、5G設備・製品を製造する工場の建設に向けて、欧州で立地の選定を進めている」と明かした。

一体、アメリカ政府がここまで脅威視する対象として、世界中のニュースでその名前が知られるようになったファーウェイとは、どういう企業なのか？

私は政治学者ではないため、政治に関するコメントは避けたい。が、とくに外交や政治に関することは、真相がそのままニュースで報じられる可能性は低く、かつ事実は複雑な絡み合いをしているため、仮に報道されたとしても報道者の立ち位置によって自然にバイアスが生じるものである。よって、さまざまな情報があふれる現代においては、全体像として仮説分析をしてみ

（1） 加谷珪一（2020）「ファーウェイ禁輸で打撃を受ける日本の悲しい現実——基地局市場で戦えない日本メーカー、安全保障にも大きな不安」『JBPress』2020年1月13日
（2） 大前研一通信KON781（2019年6月17日号）より一部抜粋して編集。

ることが肝心である。

　私は、経営学者として、中立的な視点で、ワンパターンな連日の米中覇権争い報道の裏に隠された多様な現実にフォーカスを当て、ファーウェイという非上場民間グローバル企業の成長過程とその実力についての分析を試みる。そこでわかったことは、今道幸夫の指摘するように、ファーウェイは中国企業であるが、中国企業と考えないほうがよい、政府資本の大規模国営企業とは、まったく生い立ちが異なるということである。ファーウェイは、格闘を続ける、稀有な一非上場民間グローバル企業なのである。

　幸い、筆者は、2019 年 11 月 13 日、ファーウェイ深圳本社ならびに東莞市松山湖にある最新鋭製造ライン、研究所を、訪問し、実際の現場を観察し、研究所ならびに本社の方々からヒアリングをする機会を得た。また、2019 年 11 月 21 日に来日したファーウェイ本社輪番会長・梁華氏の日本のマスメディア向けミーティング、および主要取引先とのラウンドテーブルにも出席できる機会を得た。2020 年 1 月 2 日には、再度、ファーウェイ日本法人の渉外広報部長へのインタビューも実施できた。

　これらの貴重な現地現物確認の機会を通し、深圳の現場および輪番会長、日本法人渉外広報部長からの発言で見聞きした生の情報をもとに、その 31 年間の成長の歴史という縦軸と、176 カ国でのグローバル展開という横軸、それを実現した人財の斜め軸の三次元から、先行研究をひもとき、ファーウェイという世界でも突出してユニークな巨大民間企業の内部についてのエビデンス分析を試みる。

1. 任正非ファーウェイ CEO が語る経済のグローバル化と分断化──マクロの視点から

　2019 年 5 月 18 日、中国・深圳のファーウェイ本社にて、創業者兼 CEO 任正非と日本の有識者とのラウンドテーブルが実施された。そのときの、任 CEO の発言に沿って、任の経営哲学を探ってみよう。以下、任 CEO の発言議事録からの抜粋である。

世界経済のグローバル化が進んでいる。従来の経済形態では一つの国だけでミシンも機関車も船もつくることができたが、経済のグローバル化が進んだ現在では、世界全体で協力して共存共栄の関係を図る必要がある。ある国が自国の力だけで閉鎖的に何かをつくろうとすれば、つくれる量が限られるため、その部品を使う製品の価格は非常に高くなり、社会のニーズに応えることができない。経済のグローバル化の目的は、各国が自分の得意分野をより大きくしていくことであり、それが経済のグローバル化の本質である。

　全世界の高速鉄道の設備は、日本のネジメーカーのネジを使っているといわれる。仮に世界中の国が日本のネジメーカーのような工場をつくるとすれば、コストが非常に高くなる。グローバル化に逆行して、一つの国で一つの産業だけを発展させるような流れがあれば、世界経済はますます混乱してしまうであろう。

　とくに、中国に最も近い地理的存在の日本は、中国という13億人の巨大市場を無視することはできないであろう。日本は高品質製品でこれまで中国市場を席捲してきた。その中国市場はまだまだ年率6％以上の成長を続けている。これまで、中国では外資による投資への制約が多かったものの、最近新たな外商投資法が可決され、要件緩和になったことで、日本製の商品を中国でより早く流通させることができるようになることが予測される。

　世界の鉄道が地域ごとに分断されていたため、狭軌、標準軌、広軌といった鉄道規格が生まれ、モノの流れがスムースではなかった。これは経済によい結果をもたらさなかったことは歴史が証明している。翻って、世界は3G、4Gを経て進化してきた。いま世界共通の5Gという標準が生まれてきている。社会にとって5Gが何を意味するかというと、将来1人当たりのビット単価は10分の1から100分の1まで下げることができる。つまり価格も同様に下がる。実現すれば、貧しい家の子どももインターネットで勉強できるようになり、世界の窓が開かれることになる。これはきわめて大きな一歩である。

　情報通信インフラの5Gは人間社会に幸せをもたらすだけのもので、社会を壊すようなものではない。通信ネットワークの整備が必要であり、ネットワークでつながっていないと、交流できない。将来の世界の最大資源は人口である。そして人口の70〜80％は先進国ではなく、貧困国に住んでいる。もし先進国だけで閉鎖的なネットワークをつくれば、この巨大な市場を失ってしまう。多くの人はこれをよく認識しており、分断への道を進むことはしないと考える。

　ほかの国や市場に進出しない企業であれば話は別だが、グローバルに展開する以上、ネットワークが二つに分かれるということはありえない。現在は山の頂上に向かって、双方が必死に斜面を登っているところで、ある日それぞれが山頂に到達するであろう。そのとき、「刀を向けあう」ことは決してなく、互いに抱き合い、人類の通信サービスの成功をともに讃えるであろう。私は決してアメリカを恨まないし、若いころから親米派である。

　「銅鑼を鳴らすのも、飴玉を売るのも、どちらかだけにしたほうがいい」と思う。商人は商人に徹して、はじめから政治に関与せず、得意なことをやればよいと思う。すべての競争相手に対して、友好的で、攻撃することなく、むしろ技術交流とコミュニケーションを深めていくことで、情報産業は成長していく。競合企業のエリクソン、ノキア、クアルコムのCEOの発言は非常に中立的で、われわれに対しても非常に友好的で排斥しようという意図はないと考える。われわれは、30年間会社一丸となって、「情報通信インフラの整備」を目標に絞って取り組んできた。数十人の従業員規模から、数万人、十数万人の従業員に増えても、同じことに注力している。これまで通信技術開発に200億ドル投資してきている。世界をみても一つの事業にこれほどの巨額の投資を行う会社はほかにない。上場企業は財務諸表を重視するため保守的になり、ここまでの大胆な投資はできない。ファーウェイは非上場会社で、財務諸表より戦略目標を実現することを重視するので、この戦略は変わらない。

その後も任 CEO は、ほぼ毎月、海外の TV や新聞からのインタビューに応え、真摯に回答している。

最新のインタビューは、2019 年 12 月 2 日、カナダの The Globe and Mail 社からの記者インタビューである。そこで任は、このように語っている。

　　記者　今日は孟女史の逮捕からちょうど 1 年経ちました。それで、1 年前に何が起こったのかについていくつか質問をしたいと思います。カナダで起きたことの経緯についてはある程度知っていますが、中国で何が起きているのか、そして彼女の逮捕で任 CEO ご自身に何が変わったのかを含めてもう少し教えていただきたいと思います。

　　まず孟女史はカナダで逮捕される 2 年前からアメリカへの旅行を控えていたようですが、ファーウェイは、2017 年からアメリカが調査を始めていること、そして彼女が何らかのリスクにさらされていることを知っていましたか。

　　任正非　孟晩舟の事件は、アメリカが計画している政治活動の一部だと思います。ファーウェイは長い間アメリカ市場から排除されてきました。アメリカでの事業が縮小するにつれて、上層部の役員を行かせても、やることがないので、行く意味はありません。ですので誰も行かなくなりました。

　　記者　それはアメリカでの逮捕を避けることでも、アメリカでの法的問題を避けることでもなかったということですか。

　　任正非　何かを回避するためではありません。単に仕事がないからアメリカへ行かないだけです。数年前からアメリカ市場を小規模の国と同じように扱っており、すべての決裁権を現地オフィスに一任しています。その理由は少額の取引しかないからです。

　　記者　過去 1 年間の出来事を考えると、ファーウェイが世界中でどのように信頼を取り戻すか、または新たに築くかについて見守っている人が多くいると思いますが、信頼問題を信頼の赤字にたとえた場合、信頼の赤字は単にファーウェイだけの問題なのか、それとも中国の問題もし

くは中国企業の問題なのでしょうか。

　任正非　この1年、私たちは信頼の赤字を抱えているとは思いません。かわりに多くの信頼を獲得しました。なぜなら、アメリカのような超大国は無料で私たちのために世界中で広告しているからです。過去には、ファーウェイの製品が本当によいのかと疑っている国もありました。しかし、ファーウェイに対するアメリカの排除活動は、彼らの疑念を払拭して、ファーウェイがすごい会社であることを気付かせたので、彼らは私たちをより信頼するようになりました。

　今年、ファーウェイを訪れる人数が69％も増加しました。生産ラインを訪れ、新製品がアメリカの部品を使っていないことを知り、その製品を持ち帰ってテストするお客様がいます。その結果、パフォーマンスが非常に優れているため、彼らはいっそうファーウェイに厚い信頼を寄せています。ですので、信頼赤字など存在しません。

　また、彼らが当社のキャンパスを訪れたとき、社員送迎用シャトルバスがたくさん走っていること、また、あちらこちらにある社員食堂がいつも満員で大繁盛していること、従業員はまだ肉料理を買う余裕があることを目にして安心したと思います。もちろん生産ラインは年中無休で稼働しています。これは彼らの当社への信頼をさらに強固なものにしました。したがって、信頼の赤字などはありません。お客様は逆に私たちが信頼に値する企業であることをあらためて認識したと思います。

　エンティティリストに追加されたとき、今年の業績が低下する可能性があると予測しました。しかし、これまでのところ、会社は力強い成長を維持しています。これは、私たちが信頼の赤字を被っていないという事実の証です。

　記者　今年のファーウェイは勢いよく成長を遂げていますが、主に中国国内事業の好調によるものですか。この好業績は国が所有する通信企業からファーウェイへの補助金によって支えられているのではないでしょうか。

　任正非　ネットワーク機器事業の成長は主に海外市場が牽引している

ため、海外のお客様への出荷を優先して確保しています。一方、スマートフォン事業では、海外では減少しましたが、国内では拡大しています⁽³⁾。

2. 任正非ファーウェイ CEO が語る日本企業から学ぶべきこと ──ミクロの視点から

日本企業とファーウェイは補完的かつ友好的関係

2019 年 5 月 18 日、中国・深圳のファーウェイ本社にて、創業者兼 CEO 任正非と日本の有識者とのラウンドテーブルでの任 CEO の発言、2019 年 11 月 21 日に来日したファーウェイ本社輪番会長・梁華氏の主要取引先とのラウンドテーブルでの発言、2019 年 12 月 2 日、最新のインタビューとしてカナダの The Globe and Mail 社記者への答弁、および海外メディアによる任 CEO へのインタビュー記事、数々の先行研究に従って、ファーウェイがいかに日本企業から学びながら成長し、今後も日本企業との友好的補完関係を期待しているかについて、その背景の分析を試みる。

以下、任 CEO の言葉で説明する。

なぜ日本経済はこれほど発展しているのか？　その理由は、顧客志向で、買わずにはいられないような優れた物をつくるからだと考える。日本が中国人に与える印象は「（高）品質」である。顧客は品質を求めている。ファーウェイが追及しているのは、成長速度でも既存ビジネスの管理でもなく、顧客満足である。

日本は工業製品で「軽薄短小」を追及している。また、顧客体験や顧客満足を追求する日本の人々の姿勢から学ぶべきことは多くある。

ファーウェイと日本企業は非常に高い補完性をもっている。日本には多くのノーベル賞受賞者がいて、基礎研究はとても先進的である。とくに、素材産業においては世界最強である。また部品製造産業も世界最強

（3）　Huawei Technologies, "In His Own Words" 2019

である。将来はインテリジェント社会に入るが、インテリジェント社会の最大の特徴は「感知」することである。どのように「感知」するかというと、センサーである。センサーの基礎は材料である。5G 産業の展開によってグローバルで 4000〜5000 億ドルの産業をリードできるし、IOT 産業にも数十億ドルの利益をもたらすであろう。そのために、日本の「軽薄短小」製品は世界中で幅広く使われるであろうし、ファーウェイと日本企業は補完的かつ友好的関係にあり、ともに情報産業を盛り上げ、インテリジェント社会のために貢献していくべきだと考える。ファーウェイはアメリカにたたかれて強くならざるをえなかった。ファーウェイは、日本にならって、大きな設備を小型化する方法を考え、5G 基地局の機能容量は 4G の 20 倍であるが、体積を 4 分の 1 にし、重さをわずか 20 キログラムに抑え、消費電力を 10 分の 1 に減らしたことで、鉄塔も必要なくなり、設置に要する人間も 1 人で取り付け可能になった。

アジアは自由貿易地域を形成し、経済上の連携を通じて、相互に補完し、発展し、大きな経済圏を築くであろう。この経済圏で日本は大きな役割を果たすであろう。日本は早い段階で産業化を実現してきた。中国はまだまだ多くの制度面で時間をかけて改善していかなければならない、軍事覇権ではなく、経済貿易・富の創造を中心にともに調和社会へ向かっていきたい。各国は軍事に多く投資しているが、その分節約すれば貧困は世界からなくなるであろう。日本は調和社会のモデルである。日本から学ぶべきものが多い。

ファーウェイは上場していないので、財務諸表の見栄えを追求せず、人々への奉仕、人類への理想への奉仕を追求している。エベレストの南壁、北壁のすべての基地局はファーウェイが設置した。エベレストに登る人は多くなく、よって利益も出ない、しかし、通信ネットワークがあれば、登山家の命を救うことができるかも知れない。これがファーウェイの提供するサービスで、相手が喜び、感謝してくれるという日本の精神から学んだものである。このように日本人の精神は、将来の産業文明のなかで、最も重要な精神であると考える。ファーウェイと日本企業は

補完的な協業により、ともに情報産業を盛り上げ、インテリジェント社会に貢献していくべきだと思う[4]。

来日した輪番会長・梁華氏が日本企業に対して行った発言

2019 年 11 月 21 日に来日した梁華輪番会長（ファーウェイの輪番会長は任期中、会社の最高位のリーダーの役割を果たす。輪番会長の 1 回の任期は 6 カ月。主たる 3 事業を担当する役員 4 名が 6 カ月ごとに CEO 役割と責任を交代しながら事業を運営するというユニークなマネジメント体制。自分の事業のことだけに集中しがちなリーダーを、ファーウェイ全体の経営視点をもつよう変容させるという任の考えに基づく）の主要取引先との会合では、2019 年の日本企業からの部品調達額実績が前年より 5 割多い 1 兆 1000 億円になることを示した。アメリカにかわり、日本が最大の部品調達先となる見込みである。アメリカ政府がファーウェイに制裁を科しアメリカ企業との取引が制限されるなか、ファーウェイは日本企業との連携に活路を求めている。2020 年から向こう 5 年間で、5 兆 5000 億円の見積もり発注を日本企業に出しているという。

日本企業としては、ファーウェイとの連携において、5G 関連のグローバル展開の将来性を含めた経済合理性を、冷静にかつ科学的分析思考と長期的視野で考えていく必要があろう。

深圳東莞市松山湖にあるファーウェイの最新の製造生産ラインと研究所および本社に現地現物確認からの分析

筆者は、2019 年 11 月 13 日に、深圳東莞市松山湖にあるファーウェイの最新の製造生産ラインと研究所および本社に現地現物確認する機会を得た。そこでの事実を以下に記す。

（4） Huawei Technologies, "In His Own Words" 2019

最新鋭生産ライン

　ファーウェイの最新鋭、松山湖生産ライン全体の制度は、トヨタ自動車を退職した専門家の方々に来てもらい設計を手助けしてもらった。現在でも月に2回来てもらい、生産の改善を繰り返している。トヨタ流「からくり」（現場の小さな改善を奨励し、大型機械購入などでない改善例を「からくり」と呼んでいる）があちこちにあり、徹底したファクトリー・オートメーション（自動化）を進め、現在は、1本120メートルの製造ラインで、1000個の部品を、産業用ロボットが超高速で動きながら、高品質スマホ1台に対し28.5秒で組み立てるという世界最新の圧倒的生産性を誇る。人間は、最終の検査のランダム目視検査のみ。つまり、世界最新鋭の生産ラインは、日本のサプライチェーマネジメントシステム、品質管理システムを手本にして徹底的に自動化設計され稼働し、歩留まり率は99.7%に達している。最新鋭生産ラインは長さ120メートルのラインが数十本もあるが、そのライン一つひとつの工程には、日本製とドイツ製のロボットが数多く使用されている。今後、このようなラインが数百から1000ほどに増える計画がある。日本から学んだ生産管理をインド、ブラジル、ハンガリー、メキシコにあるファーウェイ工場に横展開していく予定である。ファーウェイは日本流の品質管理システムを採用することで高品質生産に成功し、それをグローバルに展開している。

松山湖最新型スマホ製造ライン
出所：Huawei Annual Report 2018 より

松山湖工場で生産されている最新型スマホ、4800万画素、五つのAIカメラ搭載
出所：Huawei ホームページより

左：広大なキャンパス内を10分おきに走る無人電車
右：古城のような研究所、湖にはブラックスワンが住んでいる
出所：筆者撮影

施工費1600億円、ヨーロッパの古城風の研究開発キャンパス

　研究開発部門は、東莞市松山湖に完成した、120万平方メートルという広大な敷地にヨーロッパの古城風の建物、松山湖の研究所（キャンパスと呼んでいる）はブルゴーニュ、パリ、チェスキー・クルムロフ（チェコ）、オクスフォードなど欧州の12地方・都市をモデルに日本の著名な建築家である岡本慶一先生（日建設計）がデザインを手掛けたものである。新キャンパスに移転するのは、ファーウェイのR&D部門スタッフ8万人のうち、約2万5000〜3万人。建設は2015年に始まり、2019年内に完了した。松山湖への移転は、創業者任正非CEOの「空気のきれいな落ち着いた場所のほうが、研究開発に集中できる」という考えによる。広大すぎる敷地内は、従業員の移動のための電気の無人電車が10分おきに走っている。広大なキャンパスのあちこちに、洗練された各国料理レストラン、コーヒーショップ、アイスクリームショップが起業家により運営されている。

　ファーウェイの競争力の源泉は「製・販型研究開発体制」が土台となっている。これは、90年代初期にアメリカIBM社で開発されたIPD（インテグレイテッド・プロセス・デベロップメント）をフレームワークにし、それにファーウェイ独自の制度を付加したものであった。90年代当時アメリカを訪問し、IPDのフレームワークに心酔した任は、導入コンサルタントに時給

680米ドル払って、アメリカ流をファーウェイに導入した。680米ドルの時給は当時の任の月給と同額であったという。「足にあわせて靴を買うのではなく、靴に足をあわせるのだ。良いものは徹底的に採り入れて学ぼう」という任の経営哲学である。

　IPDとは、取引先の細かな要望（コストダウンを含む）を聞いて、迅速に対応し、開発技術から量産体制、販売まで財務も含めて、一気通貫で進めていく製品開発プロセスである。スタンフォード大学発のデザイン思考と言い換えることもできよう。そしてこのIPDを創業期の自主技術形成の土台にし、外資系企業や大規模国有企業と競り勝ってきたことも聞き取れた。現在も継続して、松山湖の製造ラインでも世界中にある研究所でも、若手技術者たちが世界中の顧客のニーズに対応すべく奮闘しているのである。

3．ファーウェイの戦略的グローバル展開──新興国から先進国へ、コバンザメ立地戦略

国際特許出願数＝イノベーション能力と仮定すれば

　企業のイノベーション能力を図る目的変数としては、特許出願数を指標として採用することが、経営学の論文では一般的である。

　世界知的所有権機関（WIPO）は、2018年に国際出願された特許の件数を発表した（図表8-1）。全体の出願件数は25万3000件で、前年の24万3500件に比べ3.9％増え、過去最高を記録。地域別では、アジアがはじめて50.5％の過半数となり、欧州の24.5％、北米の23.1％を大きく引き離している。組織別では、Huawei Technologies（ファーウェイ）が過去最高の5405

Top 10 PCT applicants
Number of published PCT applications

Huawei Technologies	Mitsubishi Electric	Intel	Qualcomm	ZTE	Samsung Electronics	BOE Technology Group	LG Electronics	LM Ericsson	Robert Bosch
5,405	2,812	2,499	2,404	2,080	1,997	1,813	1,697	1,645	1,524

図表 8-1　企業別および国別国際特許出願数
出所：世界知的所有権機関（WIPO）

件で2年連続1位。2位には三菱電機が入った。前年に2位だったZTEは、前年比29.8％も減らして5位に転落。10社中6社がアジア勢。2019年度も、世界トップは同社（4411件）であった。この事実から論理的に考察するに、ファーウェイが3年連続世界でトップのイノベーション企業であるといえよう。

　以下、アメリカ政府が恐れをなすほどの技術特許を自社開発したファーウェイのその31年間の成長の歴史という縦軸と、176カ国でのグローバル展開という横軸と、それを実現した人財の斜め軸の三次元視点で、先行研究から分析していく。

「知識こそが力だ。人が勉強しなくてもお前は勉強し続けろ。時代に流されるな」

　『任正非世正伝』（2010年）によれば、任は1944年貴州省の貧困の山岳地帯で、教師の父母のもと、7人兄弟の長男として生まれた。一家の暮らしは大変貧しいもので、7人兄弟がおなか一杯食べられたことは一度もないと回想している。暮らしは貧しかったが、教育熱心な両親の支えを得て、任は1963年に重慶建築工程学院（現重慶大学建築科）へ進学するが、その在籍中に文化大革命が起きた。国民党軍の工場で働いていた経歴をもつ任の父親もつるし上げの犠牲となった。知らせを受けてあわてて故郷に戻った任に、父は頑として言い渡した。「ここにいる姿を見られたらお前の将来がない。すぐに大学に戻れ」。そして「知識こそが力だ。人が勉強しなくても、お前は勉強し続けろ。時代に流されるな」。

　不動産バブルなどの世間のブームに流されず、ただひたすらに研究開発に邁進するファーウェイの企業姿勢は、この父親の言葉に従っているのかもしれない[5]。

　この厳しい文革時代のやり方を間近で体験した任は、以下のような哲学をもつにいたる。「組織変革に取り組む企業の多くでは、なぜ従業員の活力を

（5）　高口康太（2017）『現代中国経営者列伝』「第4章　任正非」星海社。

十分に引き出すことができず、むしろ破壊的な亀裂を生じさせてしまうのか。典型的な要因の一つは、変革を主導する指導者が「白でなければ黒」という極端な思考をもっていることである。あるいは、漸進的な変革に飽き足らず「一気に成果を挙げたい」と望むとき、人間は必ず失敗する」。

　1960年代の終わり、大学を卒業した任は、人民解放軍のインフラ建設部隊に配属された。工場や戦闘機格納庫、試験施設、車両施設などの軍関連施設の建設に携わったという。同僚たちは次々と勲章を受章したが、エリートとされる大卒のリーダーである任だけは何も与えられなかった。ここでも父親の経歴が影を落としていたという。1976年、毛沢東が死去し、文革を主導した四人組が失脚したあと、任は突然勲章成金となる。ようやく人生が上向いたかと思いきや、兵員削減改革によって、任は解雇されてしまう。1982年、広州の国有企業の電子機器メーカーに配属され、副総経理という要職についたが、はじめての取引で騙され、大損失を出し、即刻でクビになる。表彰からわずか4年で、任は解雇されて無職の身に転落する。42歳になっていた。中国が計画経済から鄧小平の市場開放経済に転換していく80年代の過渡期であった。

　1987年、44歳になっていた任は5人の仲間とともに、開発特区に指定された深圳で、ファーウェイを創業する。「どこも雇ってくれないので、仕方なく起業した」と自嘲する。事業は電話交換機の香港からの輸入販売である。資本金は1人3500元ずつ出した2万1000元（28万円）のみ。2年後の1989年、交換機製造に参入した国営企業を守るため、中国政府が輸入規制を強化したため、弱小輸入業者は次々と潰れていく。しかしながら、その他大勢のブローカーと任が違っていたのは、「20年後に世界レベルの通信機器メーカーになる」という強い思いを抱いていたこと、それだけである。瀕死の状況下、任は、強い思いを胸に、輸入ができないのであれば、最も厳しい選択＝「電話交換機自主開」といういばらの道を選択した。

　足元はいつ倒産してもおかしくない苦難の初期10年間であったが、任は、いつも大きなマグカップを抱え、「20年後に世界レベルの通信機器メーカーになる」夢を仲間に熱く語っていた。

任は技術畑出身とはいえ、通信技術専門ではないため、研究開発は新たな人材に頼らざるをえなかった。初期のファーウェイを支えたのが、華中理工大学である。同大学との太いパイプは偶然によって生まれてものであった。修士を卒業した鄭宝用が、任の熱気にあてられ、ファーウェイで働くことを決意する。入社後まもなく、鄭は副総経理、技術系トップという要職についた。鄭は自らの腕を振るうだけでなく、華中理工大学の人材を次々とスカウトし、ファーウェイの開発陣を充実させていく。同一産業の大規模国有企業との人材獲得競争は困難であったが、その困難を乗り越えたのが、任のモチベーターとしての非凡な才能であった。任はダボス会議（2020年1月21日、スイス）で話している。「当時は引き返そうにも資金が底をつき、前進するしかなかったのです。以上が今日の引き返すことのできない道を歩むことになった理由です」。

　また、地元出身が少なく、土地のしがらみや固有の文化をもたない「経済特区深圳」は、「人脈重視」の中国社会のなかで、「誰にでも平等にチャンスがある街」として発展していく。80年代以降、深圳には、中国中から夢をもった若者が集まってきた。

　若き開発者たちに大胆に権限と仕事を与え、「奮闘者」という経営理念を編み出す。「奮闘者」になるのか、普通の労働者になるのかは従業員の意思次第。社内の活気を表す言葉として「マットレス文化」という言葉もファーウェイにはある。新入従業員にはマットレスが配られ、オフィスでも、現場でも、仮眠をとってしのぎながら、責任ある仕事に腕を振るう。給料も年々上がり、創造的能力を発揮した者に対しては、短期的には賞与や報奨金が与えられ、長期的なインセンティブとして、自社株を従業員に譲渡している。「奮闘者」には年齢関係なく十分な昇進と昇給があるのである。すなわち、若手技術者は、同業他社大規模国有企業にはない、革新的な人事制度の下で、彼らの能力を自発的に最大限発揮した。

　1993年、社運を賭けた大型交換機の開発が、失敗に終わる。存亡の危機に立たされたファーウェイであったが、「20年後に世界レベルの通信機器メーカーになる」という強い思いを胸に、デジタル大型交換機の自社開発にさら

に突き進み挑む。95年、交換機をメイン商品として大きな受注を得ることができた。これが歴史上、大事な製品となる。中国都市部の市場は、すでに世界の大企業が制覇しており、ファーウェイが同じものを製造しても勝ち目はなかった。よって、ファーウェイは農村部を市場にするしかなかったので、農村の基地局をターゲットする「鶏肋戦略」をとる。

農村から都市へ、新興国から先進国へ──「先易後難」戦略

　鶏肋とは、鳥の肋骨の意味である。たいして役には立たないが、捨てるには惜しい物という意味である。デジタル交換機の開発は、外国企業の強者や、政府の支援を受けた国策巨大企業たちとの土俵に上がることになる。それでも、任はひるまず、目標に向かって、企業の生死をかけた自社開発に挑んだ。残った資金のすべてを開発費に投入した。少しでも現金が入ると、開発費に全額投入した。任の成功を後押ししたものは、壮大な起業家魂と、ゆるぎない技術革新への集中資源投資、にほかならない。

　任は、都市市場で戦うのではなく、世界的企業がとりこぼした"農村"という「鶏肋」市場を狙い、安価で実用的な製品と、徹底したアフターサービスで顧客の信頼を得た。実は早期のファーウェイ自主開発商品の質は悪かったが、クレームが来たらすぐ、道具箱とマットレスをもって現場に駆け付け、機械室に泊まって機械の調子を維持する24時間メンテナンスサービスでカバーしてきた。この徹底的な顧客向けサービスはいまでも変わらぬファーウェイの強みである。当時の顧客は、ファーウェイを「三流の製品、二流の販売、一流のサービス」と評価していた。「他社よりも半歩先を行く製品を目指せ」が任の信条で、これは、技術におぼれず、あくまで売れる製品を目指せという意味だ。

　任の経営哲学として、「顧客のためにつくすことこそファーウェイの唯一の存在理由である」がある。「われわれの成功の源泉は、資本でも技術でもなく顧客である。ファーウェイは投資家と親しむのではなく、顧客と親しむ企業文化を育まねばならない」とある。

　市場の海外メーカーに対し、安値と徹底した顧客志向で打ち負かす「先易

後難」戦略をとったファーウェイは、農村市場で成功した。経営危機を脱した任は、低価格、徹底したサービスを武器に、次の市場を中国国内ではなく、あえて、海外に求めて打って出た。中国国内市場も十分に巨大でしかも急成長している90年代に、あえてリスクの大きい海外市場進出は、一般的にはリスクが大きすぎるという判断から躊躇されがちだ。しかし、中小企業のファーウェイは粘り強く、「どうせ国内がだめなら、一か八かで、海外へ行こう。それも、「農村から都市を攻める国際バージョン」と名付け、「新興国市場から先に攻める」」戦略で、成功に導いた。筆者の個人的推察では、中央政府から何かと指図をうける中国都市市場をあえて避けたのではないかと考える。

97年には、最初から欧米市場でグローバルメーカーとシェアを奪い合うのは避け、アフリカ市場に進出、99年にはインド・バンガロールに研究開発センターを設立する。ここで面白いのは、研究開発センターの立地に「コバンザメ戦略」を用いていることだ。技術開発は人が行うものであり、人的資源がすべてといっても過言ではない。貴重な研究開発人的資源をいかにカバーし、いかにその地域に根差していくか？ 任は「コバンザメ戦略」をとる。コバンザメ戦略とは、「集客力がある店舗や事業所、観光施設などの近くで商売を行う商法のこと。大型の生物に吸着して移動して身を守りながらおこぼれを狙うコバンザメにちなんでこのように呼ばれている[6]」。

インドのバンガロールには、世界的企業の研究開発センターが立ち並ぶ。一般的に欧米企業は、人材の入れ替わり、新陳代謝が激しい。その"おこぼれ人材"を、ファーウェイはうまく狙って採用し、モチベーションを上げて「奮闘者」になってもらう、という戦略をとっていたと考える。インド・バンガロール研究開発センターのエンジニアは700人以上に上る。

日本企業からもリストラされた技術開発人財が、再就職の場としてのファーウェイで、技術開発に貢献してきたという話は関係者から耳にする。

翌2000年には、海外市場での売り上げが1億ドル（110億円）を突破した。地域ごとの通信基地局設備の設置を顧客志向で、雪山頂上、鉱山、砂漠地帯

（6） 稲垣栄洋（2014）『弱者の戦略』新潮選書。

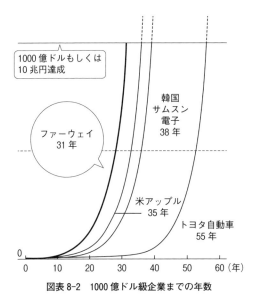

図表 8-2　1000 億ドル級企業までの年数
出所：『日経ビジネス』2019 年 9 月 9 日、p. 26

であろうと、過酷な地理的条件に挑戦しながら、24 時間いとわず働き進めてきた。メキシコ向けには、治安対策を考慮し防弾設備を備えた基地局設備を開発し、ロシア向けには寒冷地対応を徹底した。エベレスト山頂にも機器を背中に背負い、命がけで登山し、基地局を設置した。「顧客のために尽くすことこそファーウェイの唯一の存在理由である」という徹底した顧客志向と、自社技術開発がグローバル展開においても、いかんなく発揮された。

　2000 年スウェーデンに研究開発センター設立。2001 年にアメリカに四つの研究開発センター設立。2005 年、海外売上高が国内売上高を上回り、名実ともにグローバル企業となる。2012 年グローバルな事業展開を引き続き促進し、イギリスをはじめ欧州での投資を強化するとともに、フィンランドでは研究開発拠点として 16 カ所目となる研究開発センターを開設、フランスとイギリスでは現地人材による取締役会と諮問委員会を設置。イギリスでは 20 億米ドル（2100 億円）の対英投資計画を発表。

　現在 176 カ国で事業展開（アメリカ IBM 社とほぼ同じ事業展開国数）、18

万 8000 人の従業員のうち R&D 人員は 8 万人と、世界トップの技術重視情報通信企業に駆け上っている。売上高、営業利益、営業活動によるキャッシュフローも、毎年右肩上がりで成長している。『日経ビジネス』の特集では、図 8-2 にあるように、1987 年に広東省深圳市で創業してから、わずか 31 年の 2018 年に、売上高 1000 億ドル（約 10 兆 5000 億円）を突破したスピードは韓国のサムスン電子やアップルを上回ると解説している[7]。

任はダボス会議（2020 年）で語る。「通信とはネットワーク全体に関わるものであり、製品に少しでも不備や欠陥があれば世界の通信網に通信障害を引き起こしかねません。私たちのような小さな会社にとって、このような厳しい技術標準に対応する製品をつくることはほとんど不可能でしたが、血の滲むような努力をした結果、今日まで生き延びることができました」。

現地化戦略

現地化戦略の実施により、多くの現地の従業員を現地で採用し、その総数は 3.5 万人（2017 年）を超え、海外従業員の平均現地化率（海外で採用した従業員総数÷海外従業員数）は約 70％に達した[8]。

これにより、現地市場に迅速に溶け込むことを容易にし、現地の習慣や需要によって、ファーウェイの生産、マーケティング、人事管理の現地化が進んだ。従業員の現地化対策は、現地のコミュニティの信頼度を高め、本社からの派遣従業員の海外費用を減少させた。成熟し続ける現地化は、本社からの派遣従業員と現地従業員の関係をますます打ち解けさせ、良好にした。ファーウェイ独自の一流人材養成システムを確立することにより、多くの分野における専門知識をもった現地従業員を育成し[9]、現地人材の育成・現地経済発展に寄与している。

（7）『日経ビジネス』「特集：ファーウェイ　最強経営の真実　30 年で売上高 1000 億ドル　ファーウェイ、驚異の実力」2019 年 9 月 9 日号、https://business.nikkei.com/atcl/NBD/19/special/00208/
（8）Huawei 持続発展レポート 2017
（9）丁寧（2019）「中国多国籍企業の異文化マネジメント―考察――ファーウェイの異文化マネジメントを例として」『現代社会文化研究』No. 68、pp. 49-60

　グローバル展開においても、ファーウェイの競争力の源泉である「IPD、製・販型研究開発体制」が土台となっており、各地の顧客の要望に根差した開発体制がとられている。中国メディアから「中国民間企業が国際的に共通する企業文化をもつグローバル企業に発展できたことについて」の質問を受けたとき、任はこう答えている。「ファーウェイは、社声社区という、グローバルに働く社員がイントラネット上で、おかしいと思ったことを声に出して挙げられる場をもっている。当サイトが現地での職場の真実を表している。外国籍の社員であっても、われわれ中国籍社員と本質的な違いはない。お客様のためにサービスを提供するのであるから、価値観が異なるはずはないでしょう」。

　また、「996（長時間労働）」など中国の企業文化には、欧米の仕事の価値観と矛盾することが多くあるが、ファーウェイ社内ではどのように統一、協調を図っているのかという質問に対し、任は、「仕事の価値観に関しては、われわれとしてはもちろん各国の労働法を守り、彼らに必要な時間を守る。しかし、彼らには"使命感"がある。使命感がなければよい結果が残せない。実はファーウェイの海外のR&D研究者は中国の研究者よりも懸命に働く。ハイクラス人財の招聘で最も大事なことは"使命感"である。物質的な待遇にはもちろん具体的な基準があるが、重要なのは、"使命感"を彼らに与えること。何かを成し遂げる機会を提供し、研究者が自由に能力を発揮できるようにする」と話す。

任、社内誌に「ファーウェイの冬」を執筆（2001年）

　2000年代のドットコムバブル全盛時代にも、任は、つねに最悪の事態に備える経営を忘らなかった。

　　創業以来、私は毎日失敗についてばかり考えてきた。成功は見ても見なかったことにし、栄誉や誇りも感じず、むしろ危機感ばかりを抱いてきた。だからこそ、ファーウェイは10年間も生存できたのかもしれない。そして、どうすれば生き残れるかを皆で一緒に考えれば、もう少し長く

生き延びることができるかもしれない。失敗という"その日"はいつか必ずやってくる。私たちはそれを迎える心の準備をしなければならない。これは私の揺るぎない見方であり、歴史の必定でもあるのだ[10]。

「治にいて、乱を忘れず」を知行合一で実践している賢者、任正非の素顔である。

4．ファーウェイの戦略的人的資源管理

ファーウェイの強み①——能力主義職能給

　任の経営哲学として、自前の研究開発姿勢を20年以上、徹底的に地道に貫いている。ソフトウエア生産の主力である若手技術者の動機付け分析をふまえたうえで、「能力主義的職能級制度」を導入した。近年では、初任給40万円での新卒技術開発者人財の採用もいとわず、年収3000万円を新卒従業員に出すこともある。グローバルにて、研究開発に携わる従業員は、全従業員の46％の8万人。毎年売上高の10％を研究開発費に投資するという約束も徹底している。

　他の多くの中国企業が採用していた「職務給制度」に比べ、「能力主義的職能給制度」は職場内の横の異動を容易にした。雇用を安定的に維持し、異動により上司が変わることにより、複数の評価者による長期査定によって従業員自らが能力形成に努め、企業に対する従業員の最大限の貢献を引き出すことを目的とした人事制度である。これは日本企業の人事制度を模している。

　理工系大学からの大量採用も、ファーウェイの新技術開発を支えるエンジンとなった。例えば、中国の有名大学の電子・電気通信関係の学生をすべて採ろうとする。実績として毎年3000人以上の中国国内有名大学の電子・電気通信関係の学生を採用している。有名な、清華大学、上海交通大学、西安電気通信大学などの指定大学で、「わが社に来るならすべて採る」と宣言し

<hr>

(10)　田濤・呉春波（2015）『最強の未公開企業ファーウェイ——冬は必ずやってくる』東洋経済新報社。

160

ており、一つのクラスを丸ごと採用することも珍しくない。これについては、中国政府の教育部が差し止めているほどである。

よって、ファーウェイの強みは、研究開発の人海戦術である。一般的には、人海戦術といえば、手作業の仕事をイメージするが、ファーウェイでは、一つの技術問題を解決するために、同時に何百、何千人の技術者がしのぎを削って取り組んでいる。そしていま、特許の質量ともに、世界トップのイノベーション企業の座に連続3年立っている。徹底した研究開発人材採用と投資をし続けてきた長年の投入量と努力と熱意の結果といえよう。

グローバルの人事制度は統一されている。欧米流の戦略的人的資源管理論を取り入れ、それに、任の東洋哲学をハイブリッドしたものが経営方針として、1998年、「ファーウェイ基本法」という名で全従業員に発表された。価値観として"顧客志向""報われる貢献""弛まぬ努力"の三つが、全従業員のコアバリューとなっている。そこには、人の力をひきだすものに、人種や国籍の違いはないという経営方針がある。

ファーウェイの強み②──オープンイノベーション戦略

たった3人で、28万円の資本金からスタートした非上場民間情報通信企業にとって、1年の決断の遅れは致命的になる、世界中に大手外資系企業がひしめく情報通信産業で、ファーウェイが、スタートアップからスケールアップして、グローバル情報通信企業のトップ企業に大躍進し、Fortune 500企業の129位にまで昇ってきた背景には、2010年から始まったファーウェイ・イノベーションリサーチプログラム（HIRP）によるオープンイノベーション戦略も大きく貢献していると考える。

世界各地の有名理系大学とオープンイノベーションの文脈で、パートナーシップを結び、基礎研究とテクノロジーアプリケーションの両面から、数々のブレイクスルーを達成してきた。このHIRPは、世界中の有名理系大学との産学連携をシステマティックに可能にし、譲渡可能なモデルをつくり、目的をシェアし、多層に、ポートフォリオごとにコネクションを有機的につくり、一定して連続的なパートナーシップを生み出すことを実現している。高

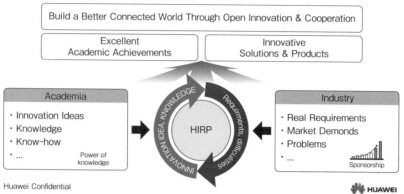

図表 8-3　ファーウェイイノベーションリサーチプログラム（HIRP）

出所：hirp_2019_openness_collaboration_innovation（2019）

度なアカデミックパートナーとのゲームチェンジがよく起こりうる情報通信技術の世界において、よりよい世界を創るために、ミスマッチを未然に防ぎ、世界中の理系アカデミックとファーウェイが協力することが差別化要素となっている。

　「現代は、あらゆる種類の新しいアイデアやテクノロジーが目の前で展開している。この技術革新の新しい波の新しい特徴は、複数の分野にまたがる「連鎖反応」である。例えば、情報技術はあらゆる分野の科学研究と革新の基盤となっている。同様に、それらはあらゆる産業の開発の基盤となる、ゆえにオープンイノベーションがますます重要になっている。「鍵は、才能にある」。この新しい変化の激しい時代を受け入れるには、世界全体が教育をサポートし、学問の自由を可能にし、思考の自由を育む環境をつくることにより、あらゆる多様な才能を開発し、強力なエコシステムを構築し、そのメリットを共有することが肝心である。グローバリゼーションへの確固たるコミットメントにより、私たちはオープンイノベーションを花咲かせることができる」。この任の経営哲学に基づくスキームは以下の図表8-3で説明されている。

　なお、本プログラムは社会貢献の意義が大きく、特許は大学研究室がとり、

ファーウェーは研究資金援助、商用化役割を担っている。

ファーウェイの強み③——従業員持ち株制度と45歳選択定年制

　創業者任正非の人事労務管理に対する理念は、前述のファーウェイ基本法に示される。基本法は、1998年に全従業員に公表されている。ルールを明文化し、それに基づいて企業経営を進めていくという姿勢は、当時の中国企業には珍しいものであった[11]。基本法では、「個性を尊重し、集団で奮闘し、そして迎合しないで、成果を出す」という点が重要である。任は「従業員」について次のように言及している。

　　ファーウェイは個人主義の存在を許容する。ただし、集団主義と融合しなければならない。優秀な従業員は誰か、私は永遠に知らない。それは漠然とした荒野で、狼のリーダーを見出すことができないのと同じである。企業は発展する狼の群れである。狼には三つの特性がある。一つ目は、敏感な嗅覚である。二つ目は、不撓不屈で、身を顧みずに攻める精神である。三つ目は、集団的奮闘である。企業が成長するには、この3要素は必須である。皆が努力して奮闘できる大きな環境であれば、新たな機会が現れたとき、自然と一群のリーダーが出てきて、市場で機先を制するであろう。

　　また、従業員はファーウェイを支える「最大の財産」である。すべてを失ったとしても、「人」を失ってはいけない。人々の素養、スキル、自信は非常に重要である。

　　しかしながら、その従業員は責任をもって成果を出す「奮闘者」でなければならない。「怠け者」は「奮闘者」を貶める者で、ファーウェイが求める従業員ではない。ファーウェイは「怠け者」の一生涯を保証することはできない。仕事をしないのに、席を占め続けているような状況であると、若者にはチャンスがない。ゆえにフアーウェイは、新陳代謝を

---

(11)　今道幸夫（2017）『ファーウェイの技術と経営』白桃書房。

繰り返して、われわれのこうした戦力を保つ必要がある。実際のところ、いまの若者は、われわれよりももっと努力したいと思っている、それはハングリー精神ではなく、"使命感"に駆られているからであろう[12]。

　従業員の評価・選抜を管理し高い報酬を得ているチームメンバーは、毎年15〜20％を入れ替える必要があり、そのチームのディレクターの10％はその職を辞め、まずは社内で別の職を探すシステムになっている。また、試練も多い海外勤務経験は、昇進においては必須の経験となっている。「奮闘者」であれば、従業員持ち株制度で「資本」を分配するが、「奮闘者」でなければ退職を促すという、厳格な区別を設けている。

　従業員は、45歳になったときに、会社に残って引き続き奮闘するか、リタイアするかを選択できる。リタイアする従業員もファーウェイの持ち株を持っており、それまでの貢献を将来長期にわたって配当金として享受できる仕組みになっている。株式割り当ては、役職だけでなく、貢献度と勤続年数も大きく関係している。よって、働くモチベーションの低い45歳以上の従業員はファーウェイにはおらず、若手に権限移譲され、若手が力いっぱい奮闘できる組織文化が醸成されている。ファーウェイに雇用された若手技術者は、革新的な人事制度の下で、「水を得た魚」のように彼らの能力を自発的に最大限に発揮してきた。創造的能力を重視した過激なまでに革新的な人事制度が、弱小民間企業が、最新技術を短期間でキャッチアップできる源泉となった。

　基本法におけるこれらの特徴は、アメリカ型「戦略的人的資源管理」と共通する点が多い。

　まさに、人材育成の面でも、任の従業員に「奮闘者としての働き」を求める従業員観とアメリカ型「戦略的人的資源管理」がマッチしたため、靴にあわせて足をつくってきた成果とも考えられる。

---

(12)　田濤、呉春波（2015）『最強の未公開企業ファーウェイ──冬は必ずやってくる』東洋経済新報社。

5．おわりに

　最後に、2019年5月24日、アメリカ・ブルームバーグTVのトム・マッケンジーと任CEOとの対談を紹介する。

　　トム・マッケンジー　クアルコム、インテル、グーグルなどの数社は、ファーウェイにモジュールやソフトウエアを提供しないように、アメリカ政府から要求されています。彼らのモジュールやソフトウエアなしに、ファーウェイはどれくらい存続できますか？

　　任正非　アメリカは警察ではありませんし、全世界を管理することはできません。世界の国々は自身のビジネス上の利益や立場に基づいて、われわれと取引するか否かを決めます。われわれと取引しない企業が確定したら、すぐにその「穴」を埋めます。空を飛びつつブリキや紙で穴を補修すれば、飛行機はまだ航行を続けられます。いつまで飛べるか？ これについては、まずは飛んでみなければ。ボロボロの飛行機がどれくらいもつかなんて、私にもわかりません。われわれはヒマラヤ山脈の上まで飛びたい。理想はチョモランマの頂上ですが、アメリカも同じ山に登頂したがっています。アメリカは牛肉の缶詰やコーヒーを背負って南側から登り、われわれは干飯を背負い、ミネラルウオーターもなく雪解け水のみで、北側から登ります。

　　アメリカはファーウェイに対して、極端な手段を使っています。何をそんなに恐れているのでしょうか？ 強大なアメリカが、小さな会社に過ぎないファ・ウェイを、なぜそれほど重視するのでしょうか？ こんなに重視され、世界中で大々的に宣伝されて、私はむしろとても感激しています。他人がわれわれのためにあんなすばらしい広告を打ってくれたのです。ありがたいことですよ。

　　トム・マッケンジー　さきほどのチョモランマの話はどういう意味ですか？ あなたにとってのチョモランマとは？ チョモランマ登頂後の最

終目標は何ですか？

　任正非　ファーウェイは技術面において、先進性を高め、人々に最先端のサービスを提供するという目標のために努力しています。もちろん、アメリカの企業も同様の目標をもっています。互いに協力してこの目標を達成し、ともに人々にサービスを提供するということはできないでしょうか？

　一輪の花では春にはなりません。この活気のある情報社会では、あらゆる種類の花が咲くのを防ぐことは不可能です。ファーウェイでは、世界中の企業と協力して強力なエコシステムを構築し、そのメリットを共有していきます。グローバリゼーションへの確固たるコミットメントにより、私たちはオープンなままであり、成功を共有するために協力します[13]。

　加谷珪一が指摘するように[14]、現状をみると、アジア各国は、国策として5G のインフラ構築に力を入れているが、このインフラ整備にファーウェイはなくてはならない企業になっている。米中いずれとも距離を置いているマレーシアのマハティール首相ですら、「東洋の製品はもはや模倣品ではなく、ファーウェイについて、可能な限り技術を利用したい」と述べ、ファーウェイの排除どころか、積極活用方針を示している。基本的にアジア各国は、ファーウェイ技術を使って、5G インフラを構築する方向で動いており、アメリカの禁輸措置は、ほとんど効果を発揮していない。アメリカ企業もファーウェイの巨大化でマイナスの影響を受けているわけではない。つまり、トランプ政権の大統領選に向けた外交手段の一つでしかなく、ファーウェイの禁輸についても、スケープゴート戦略という以上の意味はないのではないか。

　中国製品に本当に安全保障上の重大問題が存在しているのであれば、他の中国メーカーについても同じ対応となるはずだが、アメリカ国防総省など政府機関は、いまでも多数の中国製品を購入している。

---

　(13)　Huawei Technologies, "In His Own Words" 2019
　(14)　加谷、前掲論文。

　2020年2月イギリスが5G通信網でファーウェイ製品の限定的な使用を認めたため（EUも排除していない）、トランプ大統領が激高して英ジョンソン首相に電話をかけてきた際に、ジョンソン首相はこう反論している。「市場を多様化し、少数の企業の支配を打破するためには、同盟国が協力することの重要性が必要」。市場でのフェアな競争原理が必要であり、その競争のベンダーのなかに、ファーウェイを排除しないという方針を貫いている。

　はたして、トランプ大統領のいうように、ファーウェイの5G技術の中国政府へのバックドア疑惑があるのか？

　任は、2020年1月ダボス会議で、ブルームバーグのインタビューでこう答えている。

　　中国企業である当社が中国共産党を支持し、自国を愛すことは基本的な原則です。しかし、他国に危害を与えるようなことを求められても絶対に行いません。当社は事業を行うすべての国においてその国の法規制に則って行動しています。また当社は倫理・コンプライアンス委員会を設けており、すべての従業員に各国の法規制の遵守を求めています。いかなる従業員にもです。（中略）いまのファーウェイの世界での立場からすれば、他国を競争相手としてみるのではなく、ともに情報社会の担い手として社会の変革に責任を果たしていく同志であるべきです。（中略）どうすれば人類に良いサービスを提供できるかを皆で考えるべきです。敵をつくるのではなく、ともに人類へのサービス提供に尽力しなければなりません。（中略）小さな草のようなファーウェイは時代を変えるような力をもっていませんが、その小さな草を丁寧に育んで、木の苗に生まれ変わらせることを目指しています。そのために当社は欧米企業にマネジメントを学び、自己変革の取り組みを進めているのです。それが成功するかどうかは当社の努力次第です。つまり、最大の敵は他者ではなく、われわれ自身なのです[15]。

（15）　米CNBC、ダボス会議ニュース、2020年1月21日

筆者はあえて個人的考えを記すことは避ける。読者ご自身の頭で将来を冷静に見据えて考えて議論していただきたい。答えはそう遠くない未来に必ず証明されるであろう。

　一民間企業が、これだけ米中覇権争いに左右される例は稀有であると考えるが、政治と経済は分離されるのがフェアであり、不撓不屈の精神で、民間企業なりの、グローバルでの生き残り打開策を講じていくことを期待する。

　ファーウェイ日本法人幹部は、いう。「弱小民間企業が苦闘の 31 年間かけてここまで積み重ねてきたお客様からの技術への信頼、グローバル 176 カ国での展開、13 兆円の売上高を擁するグローバル企業になった現在、アメリカ政府の疑う中国政府へのバックドア疑惑を行うことで、一気にお客様からの信頼を失うであろうようなことをするインセンティブが、いまのそして未来のファーウェイにとってあるでしょうか？　まったくありません。ファーウェイには秘密などありません。そして、誰でもファーウェイから学ぶことができます。ただ努力することでチャンスをつかんでいるだけです。努力には方向性が必要ですが、ファーウェイはお客様とサプライヤーに対する義務を果たし、グローバルなデジタル経済に貢献することを忠実に実行していくだけです[16]」。

　『易経』にある「治にいて乱を忘れず」を地で行く「悟り」「大局観」「哲学」をもった任正非が今後どのような舵取りをして、米中覇権争いの渦中のある意味犠牲者として、世界の情報通信技術のチョモランマの頂上を這い上がっていくのだろうか。

　ファーウェイに対する興味は尽きない。

引用文献
Furner, Adrian & Xu, Yan. (2018) "Working with Academic Partners Effectively in the Context of Open Innovation: The Practice of HUAWEI", ECONSTOR.
Huawei Techonologies. (2019) In His Own Words 任正非との対話　第 1 巻
Huawei Technologies (2019) 創業者兼 CEO 任正非と日本の有識者・メディアとのラウンドテーブル筆記録
Huawei Technologies (2019) Annual Report 2018.

---

　(16)　2020 年 1 月 2 日、筆者によるヒアリング

Huawei Technologies（2019）Sustainability Report 2017.

今泉　幸夫（2017）『ファーウェイの技術と経営』白桃書房。

徐　方啓（2012）「中国発グローバル企業の実像」『経済研究所所報』（16）、PP. 35-64。

加谷　珪一（2020）「ファーウェイ禁輸で打撃を受ける日本の悲しい現実―基地局市場で戦えない日本メーカー、安全保障にも大きな不安」JBPress、2020.1.13

日経ビジネス（2019）「特集：ファーウェイ　最強経営の真実　30 年で売上高 1000 億ドル　ファーウェイ、驚異の実力」https://business.nikkei.com/atcl/NBD/19/special/00208/

高口康太（2017）『現代中国経営者列伝』第 4 章　任正非、星海社。

田濤、呉春波（2015）『最強の未公開企業ファーウェイ――冬は必ずやってくる』東洋経済新報社

丁　寧（2019）「中国多国籍企業の異文化マネジメント――考察　ファーウェイの異文化マネジメントを例として」『現代社会文化研究』No. 68、pp. 49-60。

任正非　（2019）「2020 ビジョン――来たるべき革新の爆発」Economist

https://www.cnbc.com/2020/01/21/davos-huawei-founder-predicts-us-will-step-up-attacks-against-it.html

https://worldin.economist.com/article/17389/edition2020ren-zhengfei-coming-innovation-

おわりに

　2019 年 11 月に、筆者らは、「イノベーション・プラットフォーム推進団」として、中国深圳市を訪問した。現地で熱烈歓迎してくださった深圳市前海区商務部の王局長、深圳清華大学大学院の温博士、ファーウェイ松山湖製造ラインや研究所、本社の見学でお世話になったファーウェイ日本法人広報部の皆様、研究所の皆様、BYD 社本社、DJI 社展覧室、深圳市商務部の皆様に、感謝の意を示したい。

　この訪問はスタート地点に過ぎないという気持ちで、筆者らは深圳を訪問した。「明治維新と高度成長が同時にやってきた深圳」というキャッチフレーズのとおり、そのわずか 30 年でここまで発展してきている深圳のエネルギーに、筆者らは大きな衝撃を受けた。「日本企業、日本の起業家に、この真実を伝えて、日中連携で、われわれがそのプラットフォームとしての役割を果たしながら、エコシステム型イノベーションを具体的に前に進められないか」と議論するなかで、共著の企画が進行していった。発刊を快く引き受けてくださったナカニシヤ出版の酒井敏行氏には感謝したい。

　わずか 30 年の歴史しかなく、人口の平均年齢が 28 歳である深圳と、少子高齢化の進む日本とでは、人口ピラミッドにおいても補完的であり、産業構造としてぶつかるところが比較的少なく、連携のチャンスは大いにあるだろう。

　中国が「世界の工場」と呼ばれ始めたのは 2000 年代に入ってからである。中国は 2001 年に世界貿易機関（WTO）に 143 番目の加盟国として参加し、世界市場との結びつきを強めた。その後、13 億人の市場として世界で存在感を高めているのはいうまでもない。今回の 2019 年 11 月の深圳訪問でみえたのは、世界最先端の「技術の実験室」として、EV（電気自動車）、自動運転、人工知能（AI）、スマートシティといった分野での社会実装で先頭を走る、社会実装先進都市の現実であった。

もちろん、プライバシーの保護といった課題は多くある。さらに 2020 年 1 月春節前に湖北省武漢市で発生した COVID-19 も、カップリングしている世界経済にリーマンショックを越える大きな打撃を与える懸念材料になっている。本書の刊行も、当初 2020 年 3 月を予定していたが、COVID-19 の影響もあり、秋にずれこんだ。

　米中覇権争いなど、つねに、危機にぶつかりながら、短期的には浮き沈みもありながらも、それを貪欲に乗り越え、市場の力、民間の力、強い起業家マインドセットを取り込みながら世界最先端の実験場として前進し続ける、破壊的エネルギーをもつ、深圳。

　日本企業のビジネスパーソンには、深圳の新興企業が成長し続けてきた 30 年間のエネルギー量という現実に目をそらさず、直視して知っていただきたい。

　いったい、日本企業、日本の発展にとって、エコシステム型イノベーションとはどのようなものか。ネクストノーマルとはどのような世界か。アジアの社会実装先進都市・深圳とどのように連携していけばいいのか。特定のイデオロギーにとらわれることなく、感情論に流されることなく、研究においては真実を、実業においては具体的な前進を追求するという姿勢をもっていただければと思う。機会を見過ごすことなく、互いに補完的に、感情論ではなく、リアリズムとして、深圳新興企業のエネルギーをうまく利用しながら、イノベーションを起こしていく姿勢、知恵が必要なのではないか。

　深圳の現実を知ることは教養の一つである。

中川有紀子

執筆者紹介（執筆順）

大高　英昭　第1章
東京大学法学部卒。トヨタ自動車入社後、一貫して海外部門を歩き世界各国と折衝。同社
取締役、米国企業の役員などを歴任。早稲田大学、京都大学でも教鞭をとる。現、パソナ
グループ副会長執行役員。著書に『ソクラテス半世紀の軌跡』、『国際マーケティング』他。

石澤　義治　第2章
筑波大学国際総合学類、清華大学社会科学学院卒。経済産業省に入省後、マクロ経済政策、
通商政策、エネルギー政策などの関連業務に携わる。中国留学を経て、在広州日本国総領
事館にて経済領事を3年間務める。現在、経済産業省コンテンツ産業課勤務。

Dr. Jin Jianmin（金　堅敏）　第3章
富士通グローバル戦略企画部門チーフデジタルエコノミスト。専門はニューエコノミーと
デジタルイノベーション。横浜国立大学修了。主な著作に『中国　創造大国への道　ビジ
ネス最前線に迫る』、『米中貿易紛争と日本経済の突破口』他。

梅澤　高明　第4章
A. T. カーニー　日本法人会長／CIC Japan 会長。日米で25年にわたり戦略・イノベーショ
ン関連で企業を支援。国内最大規模の都心型スタートアップ拠点「CIC Tokyo」を2020
年秋に開設。知財、クールジャパン、インバウンド観光などのテーマで政府委員会の委員
を務める。一橋ICS特任教授（英語EMBA）。

杉田　定大　第5章
一般財団法人日中経済協会専務理事。経産省入省後、中国経済産業局長、大臣官房審議官、
貿易経済協力局長など歴任。早稲田大学、東京工業大学にて教鞭をとる。2016年より日中
経済協会専務理事に就任。日本ベンチャー学会理事、関西ベンチャー学会理事。専門は、
中国ASEANなどアジア政策。

豊崎　禎久　第6章
欧米の半導体技術者、米LSIロジック社で戦略マーケティング、米ガートナー社のプリン
シパル・アナリストなどを歴任。アーキテクトグランドデザイン株式会社ファウンダー兼
チーフアーキテクト。慶応義塾大学大学院メディアデザイン研究科　元特別招聘教授。
(社団) 益田サイバースマートシティ創造協議会代表理事。

野辺　継男　第7章
インテル ダイレクター及びチーフサービスアーキテクト（兼）名古屋大学 客員准教授。
日本電気でPC及びビデオオンデマンドやTV会議システム等、ソフトバンクでインター
ネット及びネットワークゲーム、日産自動車でクルマのIoT、現在インテルではデジタル
インフラストラクチャー政策に従事。

中川　有紀子　編者、はじめに、第 8 章、おわりに

商学博士（慶應義塾大学）。日米企業で 25 年以上人事実務家として勤務したのち、アカデ
ミックキャリアに転向。立教大学大学院ビジネスデザイン研究科教授。専門は、国際人的
資源管理論、多国籍企業の組織マネジメント。主な著作に『レジリエント・マネジメント』
他。

下記 QR コードから、日中イノベーションプラットホームのオンラインサロンにアクセス
できます。日中関係ビジネスに関するご相談もこちらでお受けし、できる限りのサポート
をさせていただきます。

＊日中イノベーションプラットホームは、2019 年 11 月に創立しました。米 GAFA と伍す
ほどの力をつけてきた中国新興企業群。米中が直接のやり取りが難しくなってきている今、
中立の立場での日本企業の立ち位置に世界が注目しています。毎月 1 回、中国新興企業の
研究者や実務家が講演し、最新の正確、公正な情報を提供し、日本企業の戦略的立ち位置
について、政治的イデオロギー・価値観に基づく判断ではなく、あくまで中立的に議論し
ます。

日本版シリコンバレー創出に向けて
深圳から学ぶエコシステム型イノベーション

2020 年 10 月 31 日　初版第 1 刷発行

編　者　中川有紀子
発行者　中西　良
発行所　株式会社ナカニシヤ出版
　　　　〒 606-8161　京都市左京区一乗寺木ノ本町 15 番地
　　　　　　　　　TEL 075-723-0111　FAX 075-723-0095
　　　　　　　　　http://www.nakanishiya.co.jp/

装幀＝白沢　正
印刷・製本＝創栄図書印刷
©Y.Nakagawa et al. 2020　Printed in Japan
＊落丁・乱丁本はお取り替え致します。
ISBN978-4-7795-1511-8　C0034